Y0-CAR-283

Нина

Эта книга принадлежит

Machaon

Иллюстрации
Илариа Маттеини

Муни Витчер

Нина — девочка Шестой Луны

Книга первая

Москва
«Махаон»
2008

ВЕНЕЦИЯ

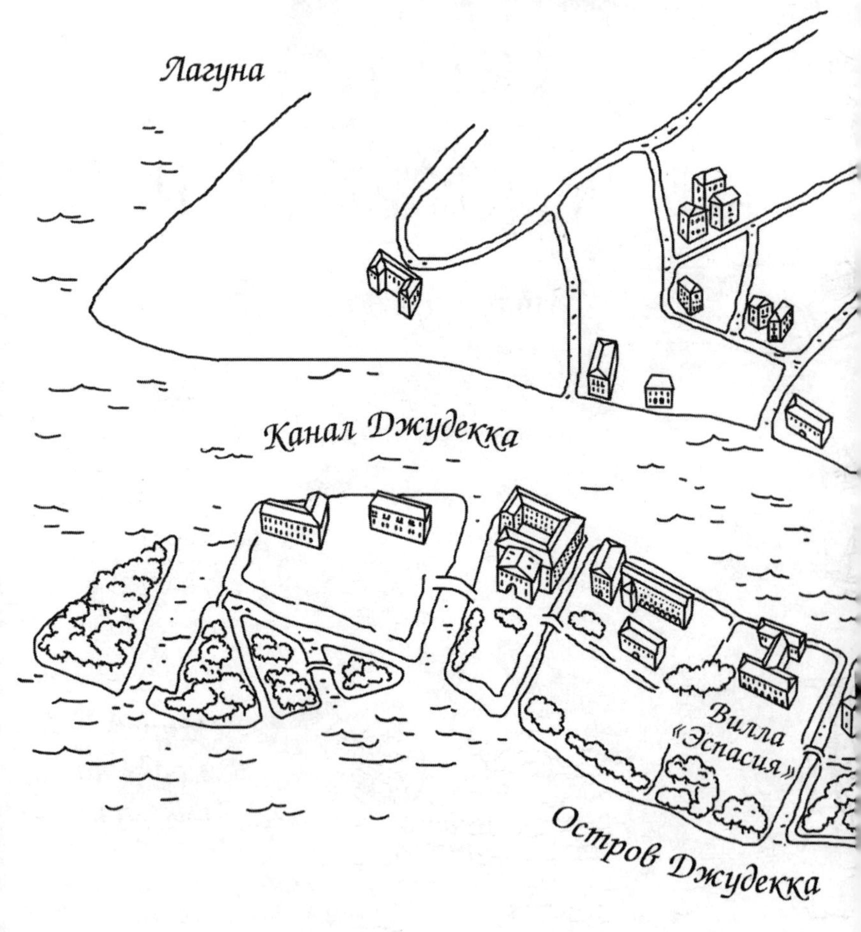

Лагуна
Дворец
Ка д`Оро
Большой канал
Площадь
Сан-Марко
Дворец
Дожей
Остров
Джорджио
Маджори

УДК 82-89
ББК 84.4 (итал.)
В54

ISBN 88-09-02717-5 (итал.)
ISBN 978-5-18-000908-1 (русск.)

Глава первая

Черная звезда

Была глубокая ночь, полная луна казалась подвешенной к небосводу, мириады звезд сверкали, словно голубые и розовые лампочки. Их свет проникал в маленькую комнату Нины, отражаясь в ее больших голубых глазах. Она только что проснулась и, сидя в постели, смотрела через открытое окно на это волшебное зрелище и думала, думала... Ей нравилось мечтать о том, как она летает там, высоко в космосе, среди звезд, дотрагиваясь до них руками, открывает для себя неизвестное на пролетающих планетах и галактиках, в мирах, загадочных и никогда еще не посещавшихся людьми. Она была твердо убеждена, что Земля – всего лишь одна из населенных живыми существами планет во Вселенной, что жизнь во Вселенной есть. И еще какая! Два месяца назад она написала синим фломастером несколько строк на фанерной дощечке, которую потом прибила в изголовье кровати:

Мы, маленькие существа с серым мозгом,
Должны еще многое постичь и понять.

Мы, прожившие всего ничего,
Должны смотреть в небо
И думать, думать, думать.

Нине очень захотелось записать эти волнующие слова после того, как она прочитала заключительную главу «Затерянных миров», последней книги Бириана Бирова, русского писателя-фантаста, умершего при загадочных обстоятельствах. Этот писатель ей очень нравился, почти так же сильно, как Тадино Де Джорджис, самый знаменитый алхимик, живший в XVII веке*.

Она немного поскандалила с тетей Андорой, которая была категорически не согласна ни с написанным, ни с идеей повесить на стену «этот ужасный кусок фанеры». Ссора кончилась тем, что в наказание Нине была запрещена ее обычная вечерняя прогулка по парку.

– Полная бессмыслица! Что ты написала? Ты такая же, как твой сумасшедший дед, который сломал жизнь моей сестре Эспасии. Ты такая же безмозглая, только в юбке! – верещала тетя на весь дом, и дверь перед ее носом пришлось захлопнуть с такой силой, что закачались картины в коридоре.

*Ты, конечно, понимаешь, что все это придумано автором.

Хотя с тех пор прошло два месяца, тот день Нина помнила очень хорошо: она провела в молчании и одиночестве целых шесть часов. И все из-за четырех строчек! Только много позже она поняла, что это был первый сигнал из будущего.

Нина была странной девочкой. То, что она гениальна, не замечали многие взрослые, считая ее просто взбалмошной и непослушной. Ее загадка была в генах, в той ДНК, переданной через поколения прародителями, о которых она в свои десять лет ничего не знала.

Единственное, что она знала точно, – ее неудержимо тянуло в небо. Летать. И познавать.

Посреди ладони на правой руке у нее было маленькое родимое пятнышко в форме пятиконечной звездочки. Она верила, что это знак судьбы, ее ожидавшей. Точно такая же звезда была и на ладони ее деда Миши. Миша, отец Нининой матери, был русским, но сейчас жил в самом загадочном и очаровательном городе мира – Венеции.

Михаил Мезинский – таково было его настоящее имя – был старый алхимик и философ, обретший знания о будущем. Он знал, что скоро, всего через несколько дней, в жизни его маленькой внучки начнется период пе-

ремен, необыкновенных волшебных приключений.

Поэтому Миша заранее начал обучать Нину некоторым алхимическим премудростям и объяснил ей смысл родимого пятна в форме звезды.

Этой ночью, в то время как луна плавала в синих глазах Нины, родимое пятно начало изменяться, лучи звезды стали чернеть. Ладошка становилась все темнее, и это оповещало о неотвратимом трагическом событии. Странная метаморфоза продолжалась в течение двух дней, девочка чувствовала, что происходит что-то неладное, но что, не знала.

А пока она, глядя на луну, расчесывала свои длинные каштановые волосы и время от времени гладила верного друга, дога Красавчика, лежавшего рядом.

– Знаешь, Красавчик, я уверена, что однажды полечу в космос и открою много тайн, здесь, на Земле, пока неизвестных, – говорила она шепотом, чтобы не разбудить противную тетю Андору, которая только недавно ушла спать, устроив обычную головомойку по поводу беспорядка в Нининой комнате.

Тетради, книги, игрушки, десятки пузырьков с разноцветными жидкостями были разбросаны по всему полу. Нине нравился беспорядок, потому что только хаос позволял ей приводить мысли в порядок. Ей было хорошо в этом доме в Мадриде, старинном маленьком двухэтажном особняке, семейном гнезде ее бабушки, княгини Марии Луисы Эспасии Де Ригейра, обожаемой жены деда Миши, умершей в Венеции при родах дочери, будущей Нининой мамы.

Княгиня покинула Мадрид в 1960 году и отправилась жить со своим мужем Мишей в Италию, на очаровательную виллу в Венеции, которую Миша назвал в ее честь вилла «Эспасия», и в испанском доме о ней напоминало многое.

Когда Эспасия последовала за мужем в Италию, ее сестры, старые девы Андора и Кармен, продолжили жить в

Мадриде, сохраняя то, что еще оставалось от наследия рода Де Ригейра, когда-то знатного и богатого, но позже разоренного непомерными долгами. Бабушка Эспасия была очень красивой женщиной, страстно обожавшей искусство и классическую музыку. Она провела детские годы в этом доме с белыми и розовыми стенами: вазы, картины, скульптуры и антикварная мебель украшали его комнаты, пахнущие лавандой, и повсюду сохранялись следы ее пребывания.

Однако Нина не чувствовала этот дом своим, Мадрид никогда бы не смог стать ее городом. К тому же ее выводила из себя постоянная ворчливость Андоры, которую не могла унять даже добрейшая и ласковая сестра. Андора и Кармен не походили друг на друга абсолютно ничем – ни характерами, ни вкусами: Андора одевалась во все темное и не любила животных, тогда как Кармен всегда была одета в яркие, солнечные тона, весело насвистывала легкие мелодии и обожала зверят.

Нина жила с ними с того времени, как ей исполнился год, а ее родители получили заманчивое предложение из ФЕРКа, международного научного центра, находившегося в Москве и занимавшегося исследованиями в области внеземной жизни. Вера и Джакомо были авторитетные ученые в данной области и к этой работе шли долгие годы ценою многих жертв. Но ФЕРК был не тем местом, где можно проводить с ребенком двадцать четыре часа из двадцати четырех.

Нина не могла оставаться в Москве, потому что за ней некому было приглядывать. Родители не решались отправить ее в Венецию к деду Мише, поскольку мать Нины, а его дочь Вера, не была уверена, что ее старому отцу будет по силам заниматься внучкой. В результате нашли решение: Нина отправилась в Мадрид под опеку двух теток. Миша был вне себя от гнева, хотя в глубине души знал, что рано или поздно обожаемая малышка Ниночка будет жить с ним.

И сейчас, вглядываясь в звездное небо, Нина чувствовала себя ближе к родителям. Может, в этот самый момент и они там, в ФЕРКе, смотрят на тот же его кусочек в поисках сигналов жизни. Сердечко ее сжалось, и из глаза выкатилась слезинка. Только одна. Потому что Нине не нравилось плакать. Она была смелой и сильной девочкой, но, когда грусть охватывала ее, она, глядя в звездное небо, вспоминала лица своих родителей, длинные белые волосы мамы и черные усы папы, которые кололи ей щеки, когда она его целовала.

Часы пробили два часа ночи, но спать не хотелось. Девочка поднялась и открыла окно, чтобы вдохнуть свежего воздуха.

Из Садов Ретиро, огромного мадридского парка, доносились запахи деревьев, автомобили сновали по улице Веласкеса, и запоздавшие клиенты отеля «Веллингтон» спешили лечь спать. Дом был в двух шагах от отеля, и Нина часто разглядывала чемоданы путешественников, воображая, как однажды и она отправится в поездку. Куда?

– К деду. Я хочу поехать к деду Мише, в Венецию. Он очень меня любит и знает, как сделать меня веселой... Красавчик, – позвала она, – я тебе клянусь, что сразу после завтрака я ему позвоню и спрошу, могу ли я к нему приехать.

Спавший на постели пес фыркнул, перевернулся и придавил бедного Платона, рыжего котенка, которого Нина подобрала пару месяцев назад около Музея Прадо.

Платон инстинктивно среагировал, вонзив острые коготки в собачий нос, после чего галантный пес, надменно взглянув на котенка, спрыгнул с кровати и растянулся на ковре перед шкафом. Что делать, если такова его участь и приходится сосуществовать с бродячим котом!

Нина засмеялась, погладила собаку, потом ласково взяла на руки котенка и сунула его под простыню. Посмотрела последний раз на луну, на звезды... и наконец сон сморил ее.

Ровно в 7.30 Кармен вошла в ее комнатку с подносом в руках. На подносе были молоко, печенье, черничный мармелад, банан и стакан свежей воды.

– Просыпайся, моя радость. Завтрак готов, – произнесла она, ставя поднос на столик, рядом со стопкой книжек Бириана Бирова.

Нина открыла один глаз и недовольно заметила, что и сама уже собиралась вставать.

– Я выпью молоко и позвоню дедушке. Где мой мобильный телефон?

– Мобильный телефон? Он, дорогая моя девочка, у Андоры. Она его куда-то спрятала. Знаешь, она не хочет, чтобы ты им пользовалась. Но, прежде чем ты начнешь сердиться, посмотри-ка, что это у меня.

Нина вскочила, уронив бедного Платона с кровати, и увидела в руке Кармен письмо.

– Это тебе, девочка. От деда Миши. Ты пока читай, а я пойду поищу твой телефон.

Нина закрылась на ключ. Взяла стакан с водой, залпом выпила, съела печенюшку, налила молоко Платону, почистила банан и дала половину Красавчику, который любил бананы до безумия, вытерла руки о розовую простыню и, наконец открыв письмо, начала с жадностью читать его.

Венеция, 24 мая
23.45 - Зал Дожа

Моя девочка,

я срочно должен поговорить с тобой. По мобильному телефону ты не отвечаешь, а по домашнему Андора мне говорит, что тебя нет. Я знаю, что вы не можете найти общий язык, но потерпи, тебе осталось там совсем недолго. Мне удалось только один раз побеседовать с Кармен, но я попросил не говорить тебе об этом, не желая ставить ее в трудное положение. Знаешь, Зло нередко вьет гнездо в сердце семьи. Всегда имей это в виду.

Даже если ты сегодня не понимаешь... скоро поймешь.

Мой нежный цыпленочек, я прошу тебя приехать как можно скорее, потому что происходят важные события. Тебе покажется странным, но я очень нуждаюсь в твоей помощи. Я должен объяснить тебе... должен научить тебя.

Только не говори ничего родителям. Я сам с ними поговорю.

Не звони мне и не пытайся послать письмо или телеграмму. Они могут быть перехвачены теми, кто не должен знать о том, что ты приедешь в Венецию.

Возьми с собой багаж, а также Платона и Красавчика. Я тебя жду.

Ах да, чуть не забыл, захвати также книги по алхимии, которые я тебе оставил. Кстати, как идут дела с профессором Хосе, надеюсь, неплохо? Заканчиваю поцелуями и напоминанием сжечь это письмо, как только ты его прочтешь.

Я заказал тебе авиационный билет до Венеции. Ты должна вылететь 3 июня рейсом в 18.00. Там же предусмотрены места для собаки и кота. Им будет удобно, не беспокойся.

Что бы ни случилось, я всегда буду рядом с тобой.

Твой дед Миша

Нина сгрызла еще одну печенюшку и посмотрела на календарь, висящий рядом с зеркалом: было 30 мая.

– Клянусь всем шоколадом мира, у меня только три дня на все! – в отчаянии воскликнула она.

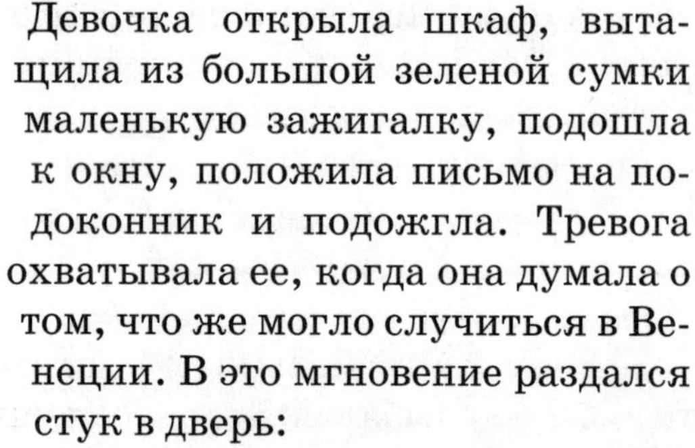

Девочка открыла шкаф, вытащила из большой зеленой сумки маленькую зажигалку, подошла к окну, положила письмо на подоконник и подожгла. Тревога охватывала ее, когда она думала о том, что же могло случиться в Венеции. В это мгновение раздался стук в дверь:

– Ну-ка, маленькая ведьма, ты почему заперлась? Сейчас же открой! Уже восемь часов, пришел профессор Хосе. Не заставляй его ждать! – кричала за дверью Андора своим обычным визгливым голосом.

– Хорошо, тетя, я уже иду, заканчиваю одеваться. Мне нужно еще секунду.

Нина натянула свою любимую оранжевую майку, бирюзовую юбку, гетры в оранжевую и красную полоску и зеленые туфли, собрала волосы в хвост, перехватила его голубой, под цвет глаз, лентой и прошла в ванную ополоснуть лицо. Взглянув на руку, она увидела, что звезда увеличилась и стала еще темнее. Девочка не чувствовала боли, пальцы легко сгибались, но то, что пятно чернеет и растет, ее очень беспокоило. Она нанесла на него немного голубого крема, подаренного когда-то дедом: это было единственное средство, которым удавалось сдерживать трансформацию, затем сбежала с лестницы и вошла в гостиную, где профессор Хосе пил кофе вместе с Кармен.

– А вот и Нина! Ну как? Ты готова к занятиям? – заулыбался Хосе, поглаживая длинную окладистую бороду.

– Да, – ответила Нина, кладя книги и тетради на стол.

– А что у тебя с руками, милая девочка? Они все синие! – воскликнул учитель.

– Ничего особенного, родимое пятно плохо себя ведет, скоро пройдет, – поспешила заверить Нина.

Занятия продолжались до полудня. Последним заданием было написать алхимическую формулу лекарственного настоя на основе свинца и кобальта.

– Молодец, Нина, такой ты мне нравишься, – сказал удовлетворенно Хосе. – Мне кажется, ты в отличной форме. Увидимся через четыре дня, как обычно. Занимайся – и будешь молодцом. К следующему разу приготовь формулу с медью и фильтрованным серебром, тебе это уже по силам. Я напишу твоему дедушке, как ты продвинулась, и сообщу, что ты станешь очень хорошим алхимиком. Только не забывай также учить географию и историю. Ты же знаешь, что через три недели у тебя экзамены, а алхимия не входит в школьную программу. Алхимия, моя маленькая Нина, тебе понадобится в жизни для других вещей.

Какие экзамены! Нина знала, что не будет больше никаких уроков с профессором Хосе. Она уезжает, и, к счастью, очень скоро.

Она попрощалась с учителем и проводила его до двери. Потом побежала на кухню к Кармен.

– Я не могу сказать тебе все, дорогая тетя, но я должна поехать к деду Мише. Помоги мне, самолет вылетает 3 июня в 18.00. Мы должны сделать все втайне, иначе Андора запрет меня в комнате и не даст уехать. Ты же знаешь, она не хочет, чтобы я виделась с дедом и даже разговаривала с ним, – озабоченно сказала Нина.

Кармен, положив руку на сердце, торжественно поклялась сделать все возможное, чтобы помочь племяннице. Для начала она постарается убедить Андору поехать навестить подругу в Толедо: ей будет приятно пару дней отдохнуть от Мадрида! Так и случилось.

Андора отбыла на следующий день, ничего не подозревая и на прощание сказав Нине:

– Когда я вернусь, надеюсь найти твою комнату в полном порядке. Я хочу также, чтобы ты подстригла волосы, не то я сострригу их сама и отравлю кота и пса. Ты маленькая скотинка, как и они. Вы все мне до чертиков надоели.

Беспокойство не оставляло Нину, черная звезда становилась все больше и больше, а голубой дедовский крем не давал эффекта. Всем сердцем она чувствовала, что происходит нечто серьезное. Но что? Что?

Было ровно 22.00 2 июня, когда Нина вскочила с постели, уронив как обычно беднягу Платона на пол, побежала в ванную, подставила руку под воду и увидела, что звезда стала просто огромной, заполнив собой всю ладонь. Черной, как сажа... такое еще никогда не случалось.

«Дедушка говорил, черная звезда – знак опасности. Что же мне делать?» – подумала она в испуге и побежала в комнату Кармен, которая, поцеловав ее в лоб, промокнула руку ваткой, смоченной в розовой воде. Платон забрался на шкаф и отчаянно мяукал, пес лаял и царапал лапой входную дверь, словно просясь выйти.

Кармен не знала, как успокоить Нину и животных. Этой ночью в доме творилось что-то невообразимое и ужасное. Необъяснимый ужас был разлит в воздухе.

Нина все время протирала руку холодной водой, но звезда не уменьшалась в размере и никак не хотела опять становиться красной. Только дедушка знает, что надо делать... Она должна увидеть его. Ей надо срочно к нему, и тогда все пройдет.

Когда Нина, подставив руку под кран, с силой терла ладошку, она посмотрела в зеркало и неожиданно вместо собственного отражения увидела облако желтого дыма, из которого выплыла отвратительная физиономия человечка, лысого, с маленькими серыми глазками, черной родинкой на лбу и желтыми зубами. Что нужно было этому монстру в ее ванной?

Нина открыла рот, пытаясь закричать, но не смогла издать ни звука. Монстр в зеркале, не сводя с нее глаз, громко захохотал. Правда, спустя несколько секунд изображение исчезло, а на зеркале остался желтый налет в форме буквы К.

Нина протянула руку, чтобы потрогать букву, но, как только она приблизила к ней палец, буква пропала, и в зеркале появилось ее перепуганное лицо. Исчезла жуткая физиономия, не было больше и буквы К. «Не галлюцинация ли это? – подумала девочка. – Может, у меня температура?» Она посмотрела на ладонь: звезда стала еще больше – ее луч достиг основания среднего пальца.

Нина была в отчаянии. Сердце ее сильно билось, ноги дрожали. Кто был этот человек? Что означала буква К? Может, это начальная буква какого-то имени? Нина точно знала, что никогда прежде не видела это лицо. Откуда он мог здесь появиться и чего хотел от нее – вот загадка.

Девочка медленно спустилась по лестнице, пошла на кухню и попросила тетю сделать ей настой из липы и мальвы. Она ничего ей не рассказала, потому что не знала, как все объяснить. Если она скажет, что видела в зеркале монстра, тетя наверняка примет ее за сумасшедшую.

К часу ночи ни кот, ни пес все еще не успокоились. Кармен сильно шлепнула Красавчика, чтобы тот перестал лаять, но безрезультатно. Платон, вздыбив шерсть, с горящими глазами носился по комнате, прыгая на стулья и стол, а Нина пила горячий настой.

Неожиданно зазвонил телефон. Кто бы это мог быть в такой час?

Кармен подняла трубку, не отрывая взгляда от Нины. Собака и кот замерли.

– Алло... да... да... ох, мой Бог! Когда? Как это случилось? Боже мой... что нам делать? Вера и Джакомо уже знают?.. Хорошо. Сейчас я скажу Нине.

Глаза ее наполнились слезами. Она положила трубку и обняла Нину.

– Дорогая девочка, случилось ужасное. Дедушка...

Кармен еще не закончила фразу, как Нина закричала:

– Нет... нет... Миша, нет! Ты не можешь умереть!

– Да, золотце. Инфаркт... Но он не страдал. Это случилось пару часов назад. Его нашла Люба. Он лежал на полу бездыханным. Она все еще в шоке, бедная женщина. Ты же знаешь, она более тридцати лет ухаживала за Мишей после того, как умерла Эспасия, – объясняла, рыдая, Кармен.

Нина вскочила, опрокинув чашку, и убежала в свою комнату, захлопнув дверь перед носом собаки, кота и тети. Она хотела побыть одна. Сидя перед окном, она, как всегда, смотрела на небо, на котором этой ночью не было ни луны, ни звезд. Была только тьма, которая походила на пустоту. На Ничто.

Нине не удалось уснуть ни на минуту, она сидела на кровати и смотрела на открытые шкаф и чемодан. Она думала о деде, о его смерти, и вдруг перед глазами встало лицо ужасного человека, которого она видела в зеркале. И это то появлявшееся, то исчезавшее лицо накладывалось на лицо ее любимого деда. Нину охватила паника.

– Почему он меня не дождался? Почему ушел, не попрощавшись?.. Дедушка, почему ты так поступил? Дедушка, кто этот монстр? Деееееедааааа, отвеееееть мне!

Несчастная девочка! Она безудержно рыдала. Она горевала и никак не могла успокоиться.

Утренний свет разлился по Мадриду, и Нина, спустившись в кухню, готовила еду своим питомцам. Кармен, которая тоже не сомкнула этой ночью глаз, сейчас пила очень крепкий кофе. Увидев девочку, она сказала, что не смогла сообщить эту скорбную новость Вере и Джакомо.

– Я позвонила в Москву, в ФЕРК, но там сказали, что с твоими родителями невозможно связаться, поскольку они находятся в недоступном районе. Они работают над секретным проектом и не имеют права контактировать с внешним миром. Даже с тобой. Единственное, что мы можем сделать, – послать им письмо или телеграмму и надеяться, что они получат наше сообщение. – Тетя с нежностью посмотрела на Нину и добавила: – Есть моменты, когда словами невозможно объяснить, насколько тебе больно, но ты должна быть сильной. Твой дедушка гордился тобой, не разочаруй его.

В 15.30 чемоданы были готовы. На чердаке в старом ларе Кармен нашла мобильный телефон, спрятанный там Андорой, и положила его во внешний карман зеленого рюкзачка Нины вместе с выездными документами. В большую картонную коробку были упакованы все книги (около ста: учебники по алхимии, географические атласы, книги по истории, живописи). На коробку была наклеена карточка с адресом, написанным печатными буквами: НИНА ДЕ НОБИЛИ – МИХАИЛ МЕЗИНСКИЙ – ДЖУДЕККА – ВИЛЛА ЭСПАСИЯ 88 – ВЕНЕЦИЯ – ИТАЛИЯ.

Нина с усилием надела намордник на собаку, сунула Платона в кошачью клетку.

– Я готова, поехали, чтобы не опоздать, – сказала она, сунув в карман плитку шоколада.

Самолет вылетел вовремя. Спустя несколько часов Нина приземлится рядом с венецианской лагуной. Кармен плакала, глядя вслед самолету, но была уверена, что эта чудесная девочка преодолеет все трудности.

Когда она вернулась домой, то нашла там Андору, сидящую в плаще на диване. Люба только что известила ее о случившемся, и она не скрывала радости по поводу смерти ненавистного мужа своей сестры.

– Кармен, я знаю, в жизни Миши было много странного и загадочного, знаю и его необычные способности. Когда я была рядом с ним, то всегда ощущала его враждебность. Он заморочил голову бедняжке Эспасии, заставил покинуть наш дом и довел до смерти.

Эспасии нельзя было иметь детей, а он... Я никогда не прощу этого Мише, даже сейчас! После смерти любимой сестры жизнь вызывает у меня отвращение. Счастья не существует. Поэтому мне так и не удалось полюбить Нину.

Суровое признание Андоры взволновало Кармен, и она отвечала:

– Сестра, твое несчастье – дело рук дьявола. Я обожаю этого ребенка и желаю девочке всего, что она сама себе желает. Родители любят ее, даже если не могут быть рядом с ней...

– Не говори глупостей. Они ее вовсе не любят. Они предпочитают ей работу, поэтому и сплавили ее нам! Работа... что это за работа! Для сумасшедших. Искать внеземные цивилизации! – с ненавистью отрезала Андора.

– Неправда, Вера и Джакомо обожают Нину. Мы не можем осуждать их. А в Москве они работают над очень важным проектом. И ты это хорошо знаешь. И Нина это знает и правильно к этому относится.

Андора, злющая как никогда прежде, поднялась и заявила сестре, что не хочет больше видеть дурацкую надпись, повешенную Ниной в изголовье кровати.

– Отправь ее в Венецию. Здесь не будет больше места глупостям. Все в этом доме станет так, как было до нее. А если тебя это не устраивает, ты тоже можешь убираться в Венецию. Мне и одной хорошо.

Кармен тяжело вздохнула и отправилась на кухню готовить ужин. Этим вечером стол был сервирован скудно: только две тарелки и два стакана. Чудесной девочки с ними больше не было.

Самолет находился в воздухе уже пару часов, и Нина задремала, думая о деде. И он ей приснился. Тихим ровным голосом он говорил: «Ниночка, не беспокойся. Ты сможешь сделать все, что необходимо. Я всегда буду с тобой рядом. Не поддавайся страху. Не поддавайся грусти. В Венеции все будет по-другому. Ты должна будешь пройти множество испытаний... и я уверен, что ты с ними справишься». Лицо деда растворилось в облаках, и сон закончился.

Нина засмеялась и посмотрела на руку: звезда наконец вернулась к своим размерам и стала красной. Знак зла исчез как по мановению волшебной палочки.

Глава вторая

Вилла «Эспасия»

Дул сильный ветер, лило как из ведра, снижавшийся самолет болтало и трясло, вместе с ним тряслись и пассажиры. Нина не боялась, но переживала за своих животных, поэтому позвала стюардессу, чтобы удостовериться, что с ними все в порядке.

– Не беспокойтесь, синьорина Нина, кот и пес чувствуют себя превосходно. Через двадцать минут мы приземлимся в аэропорту Марко Поло, – любезно сообщила девушка в форменной одежде.

И действительно, точно через двадцать минут, несмотря на сильную непогоду, самолет сел на полосу. Нина отстегнула ремень безопасности, поднялась, взяла свой зеленый рюкзачок, вынула голубой зонтик и спустилась по трапу.

В зале прилета ее встретила сияющая пухленькая тетя Люба. Русская няня, задушевная подруга Миши и княгини Эспасии.

Люба напоминала московских кукол – матрешек, только под сто килограммов весом – своими светлыми волосами, голубыми глазками, вечно румяными щечками и милой улыбкой красных губ. В семье Любу называли Безе за ее округлые и пышные формы. Нина ее очень любила и могла ей доверять, потому что та знала все о жизни деда.

– Нииинааа... Ниночка, иди сюда, щеночек, иди к своей Любе, – закричала счастливо русская няня, разводя руки.

Девочка подпрыгнула и поцеловала ее в щеку.

– Безе, моя сладкая Безе... сколько же мы не виделись!.

Они постояли обнявшись, обтекаемые пассажирами с сумками и чемоданами.

– Ты все такая же худышка. Испания не для тебя, малышка. Но здесь ты будешь есть много рыбы, жареной картошки, маиса и вкусного супа. Полет был удачный? Ты не устала? – болтала без остановки, гладя ей ручку, Люба.

– Немножко. Расскажи мне о дедушке. Я тебя прошу, я все хочу знать. Это ты его нашла? Ты видела, как он умер? – спрашивала с волнением Нина.

– Сейчас не время для таких рассказов. Я слишком потрясена, да и ты еще не в состоянии слушать. Завтра в три часа пополудни будут похороны. Я расскажу тебе все дома за большой чашкой горячего шоколада. Согласна? – спросила няня.

Нина посмотрела ей в глаза и кивнула.

Яростный лай Красавчика и мяуканье Платона отвлекли девочку от грустных мыслей.

– Ой, мне надо получить чемодан и коробку с книгами, – встрепенулась она, но, когда багажный транспортер привез вещи, ее ждал неприятный сюрприз: чемодан был, а коробка с книгами исчезла без следа.

– Мои книги! О нет! Мои самые любимые книжки, все книжки Бирова! – чуть не зарыдала Нина.

Люба пошла объясняться, но никому из служащих багажного отделения не удалось разыскать Нинину коробку с книгами. Один даже предположил, что коробку могли погрузить в самолет, вылетавший, например, в Нью-Йорк.

Нина чувствовала себя слишком усталой, чтобы дожидаться завершения поисков пропавшей коробки, и решила уехать из аэропорта, оставив полиции адрес виллы «Эспасия» в надежде, что коробка чудесным образом найдется.

Выходя из аэропорта, Нина почувствовала на себе чей-то взгляд. Она обернулась и увидела стоящих рядом с книжным киоском близнецов, мальчика и девочку, примерно одного с ней возраста.

Они были одеты в одинаковые курточки из черно-фиолетового плюша с огромной буквой К на груди. Как только они обнаружили, что Нина их заметила, тут же резко повернулись и вбежали в дверь ближайшего бара. Нина была поражена поведением двух сопляков.

К тому же эта буква К, отпечатанная на курточках, напомнила ей о монстре, которого она видела в зеркале. Холодок пробежал у нее по спине.

– Люба, ты обратила внимание на близнецов? – спросила девочка с беспокойством в голосе.

– Близнецов? Каких? Где? – закудахтала та, крутя головой по сторонам.

– Ничего, ничего. Забудь. Наверное, это у меня от усталости и голода.

Нине совсем не хотелось рассказывать обо всех странностях, случившихся с ней за последние три дня. Надо было еще поразмышлять над ними. Разобраться самой.

У нее было сильное подозрение, что близнецы каким-то образом причастны к пропаже ее книг. Непонятно почему, но она была в этом почти уверена.

Гроза усилилась, молнии и громы вспарывали небо, черное, словно деготь. Хлестал дождь, но Венеция была прекрасна и в непогоду.

Нина глубоко вдохнула солоновато-горький воздух, который напомнил ей запах деда Миши. На пристани Люба опять надела на Красавчика намордник и погладила Платона, чтобы он позволил поместить себя в клетку.

Вместе с другими пассажирами они погрузились на пароходик, направляющийся на остров Джудекка – узкий кусочек земли, населенный несколькими тысячами венецианцев.

Это было очаровательное место, на одном краю которого находилась лагуна, а на другом – знаменитая площадь Сан-Марко с высоченной колокольней и статуей Крылатого льва на такой же высокой колонне, а также Дворец Дожей. Вилла «Эспасия» располагалась в самом центре Джудекки, и, для того чтобы попасть в нее, нужно было перейти маленький мостик над узким каналом. С мостика взору открывался окружающий виллу обширный парк, заросший вековыми деревьями.

Была уже глубокая ночь, когда Люба, Нина, Красавчик и Платон вошли в высоченные ворота виллы. Грустная и замерзшая Нина желала только одного: поскорее забраться в теплую постель и уснуть. Стоя на ступеньках дома в ожидании, когда Люба закроет тяжелую калитку из кованого железа, Нина опять увидела близнецов, прятавшихся за оградой дома напротив. Точно, те же самые.

– Эй, вы, двое, что вам надо?

Люба обернулась:

– Что случилось? С кем ты разговариваешь?

Нина не стала ничего объяснять, а взяла няню за руку и потянула внутрь.

– Пойдем, Безе. Пойдем в дом. Поговорим за чашкой горячего шоколада.

Гигантская стеклянная люстра освещала прихожую, почти все двери из красного дерева были закрыты. Единственная открытая вела в огромную кухню, откуда доносилось чье-то бормотание. Около печи в ожидании их приезда возился садовник Карло, что-то напевавший себе под нос.

Усталая Нина никого не хотела видеть и сказала Любе, что предпочла бы сразу отправиться спать.

– Хорошо, Ниночка, иди, иди, твоя комната уже приготовлена. Чуть позже я принесу тебе шоколад, – ответила няня, ставя чемодан на пол.

Голодные Красавчик и Платон побежали за Любой на кухню, а Нина стала подниматься по винтовой лестнице из голубого мрамора, которая вела на верхний этаж, где располагались спальни. На середине лестницы Нина остановилась и посмотрела вниз: она хорошо помнила виллу, бывала здесь не однажды, но тишина, которая окружала ее в этот раз, показалась ей угрюмой и таинственной. Она была красива, даже великолепна, эта вилла, у бабушки был прекрасный вкус, судя по тому как дом был обставлен, и после ее смерти Миша мало что добавил к античному великолепию. Дорогие ткани – атлас, шелк, органди, бархат – хорошо гармонировали с мебелью и вещами разных эпох и происхождения: русскими, испанскими, арабскими, египетскими и китайскими. Витражи византийских окон струили цветной свет на полы и занавеси чистейшей белизны, на бордоские шторы тяжелого бархата. Апельсиновый Зал, самый любимый бабушкой Эспасией, был особо торжествен: в прошлом в нем часто устраивались званые ужины и обеды. Ему не уступал и Зал Роз, освещаемый шестью огромными окнами, где тоже проходили многолюдные праздники. Рядом имелись зальчики более уютные и домашние, такие, как Каминный Зал или тихий и строгий Зал Дожа, где дедушка провел большую часть своей легендарной жизни. Мебель и вещи, статуи и разнообразные растения в Каминном Зале стояли на тех же местах, что и в прошлый Нинин приезд, но, к сожалению, все изменилось: все было погружено в бездонную печаль. Внезапная смерть настигла деда именно здесь.

Когда Нина поднялась на свой этаж, то оказалась прямо перед дверью в спальню деда. Она была закрыта. Нина нажала на ручку, вошла и включила свет. Все оставалось, как она помнила: огромная кровать под балдахином, гобелены на стенах, занавеси из красного бархата и большие персидские ковры на полу из каррарского мрамора. Очень красивая комната! Пахло чистотой и фиалками. Комод и шкаф стояли крепко запертые, только один ящик комода был немного выдвинут. Нина, несмотря на усталость, не смогла устоять: рука сама потянулась к ящику и стала перебирать вещи. Бумажные носовые платки, перьевая ручка, шар из прозрачного стекла и тетрадь в черной с золотом обложке...

Тетрадь в черной с золотом обложке? Она показалась интересной: в ней было всего десять страниц, и каждая покрыта цифрами и странными символами, одни отмечены звездочками, другие обведены линиями, третьи подчеркнуты.

Все это походило на алхимические формулы. В центре последней страницы была только одна строка, составленная из серии значков, маленьких и забавных:

Нина была заинтригована, она не понимала, как расшифровываются эти значки, но думала, раз уж дед написал их таким образом, стало быть, на то была причина.

Она взяла шар и посмотрела сквозь него на свет: прямо в центре она увидела маленький белый шарик... или, может, это была жемчужинка. Да, точно, маленькая жемчужина.

Нина несколько раз потрясла шар, однако жемчужина не двигалась с места.

Сгорая от любопытства, она взяла таинственную тетрадь и шар, но, прежде чем выйти, девочка направилась по короткому внутреннему коридорчику к Зеркальной Комнате, где дед Миша хранил свою одежду и драгоценности бабушки Эспасии.

Подойдя, она заметила, что дверь Зеркальной Комнаты заперта на ключ.

«Странно, – подумала она. – Туда что, больше нельзя входить? Спрошу у Безе».

Огорченная, она вернулась назад, погасила свет, закрыла дверь и пошла в свою комнату. На ее кровати, также под балдахином, лежали голубые простыни и бирюзовая подушка. Занавеси, гобелены и ковры с чудесными узорами пахли ландышами. Комната казалась частичкой неба.

Нина положила шар на столик, разделась, бросив одежду на пол, забралась в постель и принялась листать черную тетрадь.

В этот момент в комнате появились Красавчик, Платон и Люба с чашкой дымящегося шоколада и большим куском яблочного пирога.

– Попей тепленького и съешь пирог, я испекла его специально для тебя, а потом постарайся уснуть. Завтра будет тяжелый день, – сказала Люба.

Нина подчинилась без возражений. Она отложила тетрадь, вдохнула чудесный запах шоколада, полила им пирог и спросила:

– Безе, а почему Зеркальная Комната закрыта на ключ?

Люба, став серьезной, ответила:

– Так распорядился твой дед. Около двух месяцев назад он закрыл ее и сказал, что туда больше никто не может войти. Почему, понятия не имею. Я даже не знаю, где ключи и как она открывается. А сейчас спи. Ты устала.

Она поцеловала Нину в лоб и погасила свет. Девочка мгновенно провалилась в сон. Пес и кот заснули на большой атласной подушке, лежавшей на полу.

Ровно в 7 утра девочка открыла глаза и сразу же подумала о деде. В полумраке она увидела загадочную тетрадь и шар, испускавший странный голубоватый свет. Руки сами потянулись к нему, и она почувствовала, что он горячий. Подняв его на уровень сердца, она прошептала:

– Дедушка, я знаю, что ты меня слышишь. Я знаю, что это твой шар. Прошу тебя, помоги мне понять, что случилось.

Она положила шар и, взяв в руки тетрадь, вновь полистала ее, но из написанного ничего не поняла. Она встала, спрятала оба предмета в шкаф и пошла принимать душ.

В 8 часов был накрыт завтрак в Апельсиновом Зале, где господствовал огромный портрет бабушки Эспасии. Красивой женщины с нежной улыбкой, бирюзовыми глазами и волосами черными как смоль, одетой в платье цвета моря.

На раме внизу была позолоченная пластинка, на которой значилось ее полное имя: «Княгиня Мария Луиса Эспасия Де Ригейра».

Нина стояла и зачарованно смотрела на картину, пока вдруг не обнаружила, что бабушка держит в руках шар. Точно такой же шар из прозрачного стекла, как найденный ею вчера вечером в ящике деда Миши! Нина застыла с раскрытым ртом.

Сколько раз она видела портрет и ни разу не замечала этой детали! «Шар... бабушка... картина. Ведь это должно иметь какой-то смысл?» – думала она, склонясь над чашкой чая.

Внезапно словно молния блеснула в ясном небе, и она услышала удар: одно из оконных стекол разлетелось вдребезги. На пол упал камень, обернутый двумя листочками бумаги.

На одном она прочитала послание, написанное крупными буквами: «ТЫ КОНЧИШЬ ТАК ЖЕ, КАК ТВОЙ ДЕД». Подписано – К. Второй лист был страницей, вырванной из какой-то книжки Бирова.

У Нины перехватило дыхание: «Он здесь, этот К. Но кто он? И эта страничка из Бирова. Она из моей книжки, я узнала свои пометки. Ну конечно, это страница из «Затерянных миров», которую я читала в Мадриде. Значит, мои книжки действительно украдены. Проклятые воры! Но зачем?!»

Мысли в голове путались. Она перечитала два листка бумаги, стараясь сконцентрироваться, чтобы понять суть происходящего. Кто-то завладел ее книгами в аэропорту и, возможно, хочет причинить ей зло. Значит, она в опасности. Может быть... нет, это невероятно... может, дедушка умер не своей смертью? Может, его убили? Но кто? И почему? Сотни вопросов заполонили голову, сводя ее с ума. Может, надо рассказать все Любе? Она взрослая и поможет разобраться. Нет, Люба не поймет. Это касается только ее, внучки Миши, и ей самой предстоит с этим справиться.

Нина выглянула в окно и на другой стороне канала опять увидела мерзких близнецов: они смеялись, строили рожи, девчонка с длинными черными косами вырывала из книжки страницы и бросала вверх, а мальчишка в фиолетовом берете держал под мышкой другие книжки, которые ожидала та же участь. Оба были одеты в прежние курточки с буквой К на груди.

– Воры! Воры! Воры! Отдайте мои книжки! – закричала Нина во все горло в разбитое окно.

Карло, возившийся у высокой магнолии, увидел эту картину и побежал к близнецам с палкой в руке. Куда там, плутов как ветром сдуло. Красавчик, поднявшись на задние лапы, толкал калитку, нервно рыча.

– Не беспокойтесь, синьорина Нина, это всего лишь маленькие хулиганы. В следующий раз я задам им хорошую трепку. Сейчас я заменю стекло в окне, а вас прошу ничего не трогать, а то порежетесь! – крикнул ей с улицы садовник.

– А кто они?

– Алвиз и Барбесса, брат и сестра, близняшки. Здесь, на острове Джудекка, их все знают, они плохие ребята и всегда безобразничают. Травят собак и кошек, бросаются камнями в людей. Иногда одни, иногда в компании с другими детьми, очень странными. Все они круглые сироты, – рассказал Карло.

– Сироты? – воскликнула Нина. – Выходит, здесь есть дети, у которых нет родителей?

– Есть, их около десятка, и живут они в сиротском приюте в старинном дворце рядом с площадью Сан-Марко, где один синьор, мне кажется, князь, заботится об их воспитании. Не знаю, как его зовут. Во всяком случае, вы не должны их бояться. Они вас обижают, потому что вы для них новенькая. Забудьте о них.

Двое сирот, воспитываемых таинственным князем, угрожали ей. Но почему? Этому она не могла найти объяснения. Нина поднялась в комнату, спрятала в шкаф смятые странички, в которые был завернут камень, брошенный Алвизом и Барбессой, надела строгий костюм для похорон и спустилась на нижний этаж, где ее уже ждала Люба.

– Пойдем в Каминный Зал, я расскажу тебе, как умер твой дедушка, – серьезно сказала няня. – Было десять вечера. Я была уже в постели, когда услышала крик, доносившийся из этой комнаты. Я бросилась сюда и, когда вбежала, увидела профессора Мишу, лежащего на полу, без сознания, с закрытыми глазами. В руках он сжимал вот этот предмет.

Люба протянула ей маленький золотой жезл, верхнюю часть которого венчала голова какой-то странной птицы с двумя красными камнями вместо глаз.

На рукоятке были нанесены надписи на непонятном языке.

– Сначала я попыталась привести его в чувство, но мне это не удалось, – продолжала Люба. – Тогда я вызвала врача. Когда он пришел, ему оставалось лишь констатировать смерть от инфаркта. Я была потрясена, я ничего не понимала. Ты же хорошо знаешь, что у твоего дедушки было здоровое сердце. Он превосходно себя чувствовал и не жаловался на здоровье. Но врач объяснил мне, что в таком возрасте инфаркт случается часто. Я считаю, Нина, будет правильно, если ты возьмешь эту вещь себе. Я не знаю, что это такое, но профессор все время носил ее в кармане. Ах да, чуть не забыла. Рядом с этим жезлом лежало письмо для тебя. Думаю, он написал его незадолго до смерти.

Она протянула Нине конверт, который та поспешила открыть.

Текст был краток:

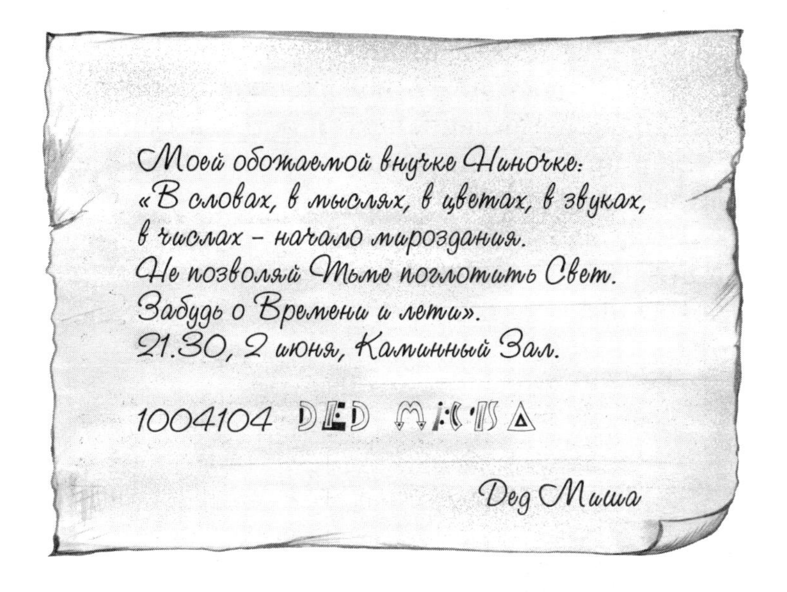

Моей обожаемой внучке Ниночке:
«В словах, в мыслях, в цветах, в звуках, в числах – начало мироздания.
Не позволяй Тьме поглотить Свет.
Забудь о Времени и лети».
21.30, 2 июня, Каминный Зал.

1004104

Дед Миша

Нина пребывала в растерянности, написанное поразило ее. И эти значки... эти странные символы рядом с подписью очень походили на виденные в черной тетради деда... Она сложила письмо и не говоря ни слова спрятала в карман.

– Может, он написал тебе что-то, чего ты не понимаешь? – спросила Люба с участием.

– Нет, Безе, все в порядке, извини, я не могу прочитать его тебе, оно очень личное.

– Хорошо, держи свои секреты при себе. – Люба опустила глаза и тихим голосом напомнила ей, что в шесть вечера должен прийти нотариус, чтобы зачитать завещание.

В 15.30 состоялась похоронная церемония на кладбище венецианского острова Сан-Микеле в присутствии немногих самых близких друзей деда Миши.

Нине очень хотелось поплакать в плечо папе или маме, но они так и не смогли прибыть на похороны.

Как оказалось, в завещании профессор пожелал, чтобы никто из членов семьи не видел его мертвым, поэтому по распоряжению нотариуса врач закрыл гроб еще до начала церемонии. Нине оставалось только положить на гроб белую лилию, дав самой себе клятву не забывать о любимом дедушке до конца своих дней.

Ровно в 18.00 Нина, Люба и Карло уже сидели за столом в Каминном Зале, готовые выслушать нотариуса.

– Прежде чем огласить последнюю волю профессора, я должен сказать вам, что покойный передал мне завещание за неделю до своей кончины. Я помню, он был очень серьезен. Мне даже показалось, что он уже знает о предстоящей смерти, но, судя по всему, это его мало трогало. Я спросил, как он себя чувствует, и он, прищурившись, ответил, что превосходно. Как никогда прежде, добавил он.

Нотариус приступил к чтению первой части завещания, в которой профессор отписывал все свое состояние в деньгах – весьма значительную сумму – своей дочери Вере с обязанностью оплачивать Нине все расходы, связанные с ее поездками и закупкой алхимических реактивов и материалов. Затем нотариус перешел ко второй части завещания, которая была полностью посвящена любимой внучке.

ЗАВЕЩАНИЕ
МИХАИЛА МЕЗИНСКОГО
Вторая часть

Я, Михаил Мезинский, находясь в здравом рассудке, желаю, чтобы недвижимое имущество семьи было распределено следующим образом.

Оставляю моей любимой внучке Ниночке самую дорогую для меня вещь – виллу «Эспасия», со всеми моими книгами, записками и научными трудами, которыми исключительно она, и никто иной, имеет право пользоваться. Кроме того, Нина до достижения совершеннолетия может располагать необходимой суммой из тех денег, что я оставляю моей дочери Вере, с целью финансирования ее поездок и расходов на материалы для алхимических исследований. Также оставляю моей внучке предметы, которые могут оказаться ей нужными: два ключа, лежащих в зеленой фарфоровой вазе в Зале Дожа, золотой жезл Талдом Люкс, стеклянный шар и маленькую черную тетрадь, закрытые в ящике комода *в моей спальне. Оставляю малышке Нине все мое алхимическое и философское наследие, ибо так распорядилась судьба.*

Мою любезнейшую Любу, которая сопровождала меня и ухаживала за мной долгие годы, прошу оставаться жить на вилле «Эспасия» и ухаживать за Ниной все то время, какое она сочтет необходимым.

Карло Бернотти прошу оставаться ухаживать за виллой, поддерживать ее в порядке и быть полезным Нине.

Кроме того, прошу не перестраивать виллу «Эспасия» ни по какой причине.

И последнее, я прошу устроить все так, чтобы никто не видел меня мертвым. Мне известно, что ни моя дочь Вера, ни Джакомо, ни Нина не будут в Венеции в момент моей кончины. Я хочу, чтобы они запомнили меня таким, каким я был при жизни.

Ваш Миша
Михаил Мезинский

Нотариус снял очки и сложил завещание. В Каминном Зале воцарилась полная тишина. Нина, зажмурившись, вжалась в кресло, Люба сложила руки, словно молилась, а Карло неподвижно смотрел перед собой.

– Вилла «Эспасия»... мне? Я буду жить здесь? Святое небо! Это невероятно! – воскликнула Нина, охваченная страхом остаться одной в этом огромном доме.

Она почувствовала, как холодеет кровь, как сильно стучит сердце и от волнения трудно дышать. Перепуганная Люба принесла ей чашку чая, поцеловала и сказала:

– Милая девочка, ты никогда не останешься одна. Я сделаю все возможное, чтобы жизнь была тебе в радость. Живи спокойно, скоро твои родители приедут за тобой. Они тебя очень любят и исполнят последнюю волю профессора Миши.

Нина слушала слова няни, рассматривая свое родимое пятно и Талдом Люкс.

«Звезда и жезл. Две важные вещи, связывающие меня с дедом, – думала она. – Моя судьба – жить здесь и продолжить то, чему он посвятил свою жизнь».

– А экзамены? – вдруг вспомнила она. – У меня только две недели на подготовку. Я должна предупредить профессора Хосе, что не смогу вернуться в Мадрид.

Дата экзаменов экстерном уже была назначена, и Нина не знала, как ей теперь быть.

– Не беспокойся, я сама позвоню тете Кармен, – сказала Люба, – и попрошу ее приготовить документы, чтобы ты могла сдать экзамены здесь, в Венеции. Вот увидишь, проблем не будет.

Люба взяла Нину под руку и проводила ее в Зал Дожа, слабо освещенный, где доминировали два цвета: бутылочно-зеленый и карминово-красный. В комнате не было окон, вдоль высоченных стен громоздились книжные шкафы, десятки шкафов, полные книг. Некоторые книги были очень-очень древними – тяжелые, выцветшие от времени фолианты; другие, более поздние, были изящны и почти все в зеленых переплетах. Кресло из гнутого дерева, в котором любил сидеть дед, было слегка отодвинуто от письменного стола.

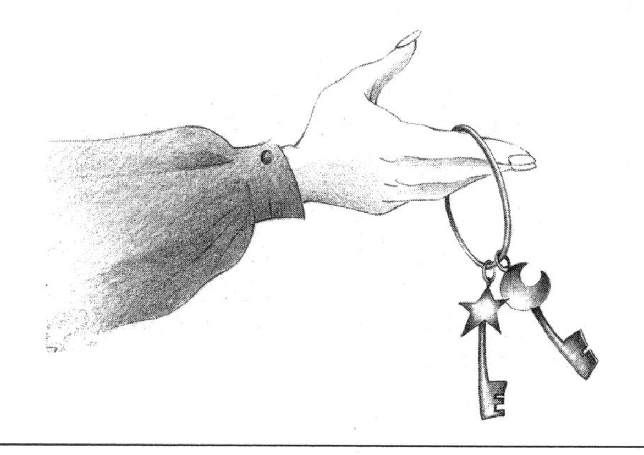

На столе царил беспорядок: вперемешку ручки с высохшими чернилами, карандаши, простые и пастельные, рисунки, бумага для записей, маленькие блокнотики и толстые тетради. Рядом со столом возвышалась подставка орехового дерева, на которой стояла зеленая фарфоровая ваза.

– Вот она, сейчас достану тебе ключи, – сказала Люба, засовывая руку в вазу. – Держи, теперь они твои. Не теряй их, и, если хочешь моего совета, надо бы найти другое место, где ты будешь их хранить. Место, о котором никто не должен знать.

– Но от чего эти ключи? От каких дверей? – спросила Нина.

– Этого я тоже не знаю. За всю свою жизнь я никогда ничего не спрашивала у твоего деда. Я уважала его тайны. Я знала, что он очень интеллигентный человек, и не хотела потерять его доверие. Так же я буду относиться и к тебе, моя девочка.

– Безе, а может, этими ключами открывается дверь в лабораторию деда? – Нина разглядывала ключи, перебирая их пальцами.

– Почему бы и нет? Может быть. В ней я никогда не была. Дед никому не позволял входить туда. Это было строжайше запрещено. Когда он запирался в лаборатории и оставался там целыми днями, он не разрешал беспокоить его. Ни за что на свете!

Речь шла о комнате за небольшой дверью между двумя книжными шкафами, о которой обе знали только одно: там дед Миша и проводил свои алхимические эксперименты.

Нина и Люба обменялись быстрыми взглядами и вышли из Зала Дожа.

Девочка продолжала крутить на пальце тяжелые и очень большие ключи: один имел форму пятиконечной звезды, очень похожей на родимое пятно на ее ладони, другой напоминал полумесяц. Что же ими открывается? Дверь? Ларец? Сейф?

Нина не знала, где она может найти ответы на свои вопросы, но сердцем чувствовала, что именно дед откроет ей это. Люба пожелала девочке доброй ночи и пошла спать в свою комнату, а Нина, сопровождаемая псом и котом, начала подниматься по винтовой лестнице.

Внезапно она почувствовала, как некая странная сила потащила ее к спальне деда, а оттуда к Зеркальной Комнате. Остановившись перед закрытой дверью, девочка достала ключи, и тот, что напоминал полумесяц, лег в ее руку. Она вставила ключ в замочную скважину... и дверь открылась.

В кромешной темноте Нина попыталась нащупать выключатель, как вдруг полумесяц ключа осветил комнату. Его свет, отражаемый зеркалами стен, казался ослепительным. Нина ощутила себя частью странной игры: куда бы она ни взглянула, везде видела свое отражение.

После первых секунд замешательства девочка неспешно осмотрелась по сторонам и отметила, что комната абсолютно пуста. «Но дед же хранил здесь всю свою одежду и драгоценности княгини Эспасии. Куда все это исчезло?» – удивилась она.

Как это делалось во многих виденных ею фильмах, Нина стала руками ощупывать зеркала, чтобы убедиться, нет ли здесь секрета и не открывается ли какое-нибудь из них.

Так и случилось. Одно за другим зеркала стали поворачиваться, сначала направо, затем налево, позволяя разглядеть висящие за ними шляпы, пальто, плащи и костюмы деда и бабушки. Они были великолепно сшиты и элегантны. Бабушка Эспасия всегда одевалась безупречно и стильно. Когда Нина приблизилась к последнему зеркалу, пытаясь сдвинуть его и посмотреть, что находится за ним, ей это не удалось.

Внезапно зеркала стали наливаться огненно-красным светом, и на них медленно проступило изображение человека! Да, это был именно он... тот самый монстр! Его мерзкое лицо, напугавшее Нину в мадридском доме, вновь материализовалось здесь, в Венеции!

Нину охватил страх, ноги у нее задрожали, а желудок, казалось, подступил к самому горлу. В лице этого человека было что-то демоническое. Он то хохотал, то злобно ухмылялся, с ненавистью глядя на нее. Девочка, парализованная страхом, была не в силах оторвать глаз от зеркал, она чувствовала, как Зло обволакивает ее. Со всех сторон комнаты дьявольское лицо бросало ей вызов.

Несколькими секундами позже изображение монстра исчезло, зеркала потускнели, и на них медленно проявилась буква К.

– Опять ты, негодяй! Уходи! Уходи прочь! Оставь меня в покое! – кричала Нина, пытаясь руками стереть таинственные, пугающие буквы, но как только она дотронулась до одной из них, свет полумесяца погас, зеркала вернулись на свои места, и ничто больше не напоминало о происшедшем.

Нина опять очутилась в полной темноте. Она стала на ощупь искать дверь, чтобы выбраться из комнаты. Внезапно на уровне пола она заметила два маленьких огненно-красных шарика, поднимавшихся к ней. От ужаса девочка закричала, что-то толкнуло ее, и она оказалась на полу.

– Отстань от меня, проклятый демон! – вырвался из нее крик.

И вдруг она почувствовала, как кто-то лижет ей лицо. Это был Красавчик, ее любимый пес. Оказывается, он сопровождал ее до самой Зеркальной Комнаты. Нина с облегчением вздохнула, обняла дога и, все еще дрожа от пережитого, поднялась на ноги. Она закрыла дверь на ключ и поклялась, что вернется сюда, только когда будет уверена, что Зло наконец побеждено. Вернувшись к себе в комнату, Нина упала на кровать и закрыла глаза.

Она лежала и думала о деде, о своих родителях, о Кармен, даже о тете Андоре. В эту минуту не хватало даже ее: по сравнению с преследующим ее повсюду монстром тетя уже не казалась такой отвратительной. Нина вдруг остро почувствовала свое одиночество посреди этой бури леденящего ужаса.

«Кто ты? Кто ты, проклятый К? – мысленно задавала она вопросы кошмарному незнакомцу. – Алвиза и Барбессу ведь тоже ты послал, правда? Что вам всем от меня надо?»

Взгляд девочки упал на стеклянный шар и черную тетрадь деда. Эти предметы теперь принадлежали ей, но что с ними делать, она понятия не имела. Она повертела в руках Талдом Люкс, он был тяжелый, с надписью на рукоятке на незнакомом языке. Голова странной птицы с горящими глазами была особенно хороша, а красные камни сверкали, словно два маленьких светлячка. Нина сомкнула веки, прижала Талдом к груди, и ее снова охватил страх. Тысячи вопросов крутились в голове, но главный был один: деда убили? Но кто он, этот убийца? К?

Нине пришла в голову мысль встретиться и поговорить об этом с Алвизом и Барбессой. Угрожающие слова, которые были написаны на бумаге, запущенной вместе с камнем в окно, свидетельствовали о том, что они точно знают, как умер ее дед. Они и проклятый К...

С этими мыслями она уснула. Красавчик продолжал лизать ее туфли, Платон свернулся клубком на подушке. Они прожили напряженный день, полный эмоций и неожиданностей. Смерть деда действительно потрясла всех. Но это было лишь начало. Полная чудес жизнь Нины только-только стартовала.

Глава третья
Лаборатория деда Миши

Чириканье воробьев и крики чаек, высоко летающих над лагуной, наполняли спальню. Гармонию этого напоенного солнцем утра нарушал лишь голос Любы, разговаривающей по телефону с Мадридом.

Слова няни громом отдавались в Апельсиновом Зале:

– Я тебя прошу, объясни профессору Хосе, что надо послать нам документы, которые дадут право Нине сдать экзамены в Венеции. У нас мало времени, через пару недель соберутся преподаватели. Мы должны поспешить.

На другом конце линии Кармен отвечала:

– Не беспокойся, Люба, я вышлю тебе их уже сегодня. Я пришлю также надпись, которой очень дорожит Нина. Она висела у нее в изголовье кровати. Андора день ото дня становится все невыносимее, она собралась выбросить дощечку вон, а я хочу ее спасти. Нина будет счастлива. Я тебя целую, передай отдельный поцелуй от меня малышке Нине. Пока!

Было уже девять утра, а Нина еще не спускалась к завтраку. Она сидела на ковре вместе с Красавчиком и Платоном и листала черную тетрадь деда, полную странных записей.

– Я обязательно должна понять, что означают эти символы. С сегодняшнего дня начинаю исследование, – сказала она, обращаясь к животным.

Она быстро оделась, взяла тетрадь, два загадочных ключа, стеклянный шар и Талдом Люкс, спустилась по лестнице и вошла в Зал Дожа, громко предупреждая:

– Безе, не входи, что бы ни случилось!

Люба, которая уже приготовила молоко и печенье, застыла с подносом в руках и ответила:

– Хорошо, хорошо. Но сегодня ровно в 17.00 к тебе придут гости. Постарайся не забыть об этом.

– Кто они? – заинтересовалась Нина.

– Ребята, которых твой дед приглашал каждый понедельник после обеда. Он обсуждал с ними разные вещи, и часто они оставались поужинать. Они хотели бы познакомиться с тобой. Сама увидишь, какие это славные ребята.

Лицо Нины приняло озабоченное выражение, встреча с какими-то детьми не входила в ее сегодняшние планы, ей не хотелось отвлекаться от предстоящей работы. Медленно она прошла по Залу Дожа, зажгла лампочку на письменном столе и оглядела ключи. Подумав, взяла тот, что был в форме звезды, надеясь открыть им дверь в тайную лабораторию деда.

Однако, подойдя к двери, Нина с удивлением обнаружила, что никакой замочной скважины нет. Вверху слева на деревянном косяке двери она заметила небольшое углубление в форме полусферы. Девочка посмотрела на стеклянный шар, который держала в руке, и сразу сообразила, что ей надо сделать: она поднесла шар и дрожащей рукой вставила его в углубление.

Два сухих щелчка: маленькая дверца резко открылась, словно от толчка, и шар полетел вниз. Нина поймала его на лету и с колотящимся сердцем вошла в лабораторию, залитую голубоватым светом. Дверь за ней автоматически закрылась. Нина подняла глаза и увидела вверху еще одно углубление. Значит, ключом для входа в лабораторию и выхода из нее служил шар. Она положила его в карман и посмотрела на чудесный вид, открывшийся ее взору.

Перегонные кубы, банки всевозможных размеров, стеклянные бутылки с разноцветными жидкостями, горки сверкающих камней, кусочки металлов и десятки страничек, исписанных дедом. Оборудование странных форм, кольца и шары из свинца, гигантские ложки и мелкая дробь, весы с тремя чашками и огромные часы с четырьмя циферблатами: отдельно для секунд, минут, часов и дней. Над часами она увидела сделанную красным надпись:

ВРЕМЯ СЛУЖИТ, НО НЕ СУЩЕСТВУЕТ

Рядом со шкафом висел огромный рисунок, на котором были изображены планеты, звезды и галактики, – своеобразная карта Вселенной. В одной из галактик, самой дальней, красным фломастером была обведена планета или, может, звезда.

На противоположной стене, в левом углу на крючке, была подвешена медная колба, полная порошка, истолченного до состояния пудры. Нина узнала его, это была смесь сапфира и золота. Справа, в углу комнаты, Нина увидела маленький камин из черного мрамора. Огонь уже был разожжен, и десятки маленьких язычков пламени переливались множеством оттенков. Внимание Нины, как магнитом, притянул огромный фолиант, лежащий на лабораторном столе: в центре его переплета из серебра и золота располагалась фигурка очень странной птицы, похожей на ту, что имелась на Талдоме. Ниже крупными черными рельефными буквами было написано название книги: Магическая Вселенная.

IL
TEMPO
SERVE
MA NON ESISTE

Нина протянула руку и дотронулась до книги – таких красивых она никогда прежде не видела. Девочка осторожно открыла ее и, к своему изумлению, увидела конверт, на котором было написано ее имя. Именно ее имя: Нина.

Внутри лежало письмо.

Моя Ниночка,

что бы ни произошло, ничего не бойся, ты только в самом начале пути. Следуй все время моим указаниям, а когда почувствуешь себя в тупике, полистай эту книгу и в ней найдешь то, что ищешь. А сейчас поверни зеленый рычаг рядом с камином. Не беспокойся, этот огонь не причинит тебе вреда и будет гореть всегда. Запомни: в словах, в мыслях, в цветах, в звуках, в числах – начало мироздания. Не позволяй Тьме поглотить Свет. Забудь о Времени и лети.

1004104 DED MISHA

Дед Миша

Нина почувствовала, как сильно у нее забилось сердце, мгновенно пересохло во рту, и на лбу выступил холодный пот. Читая письмо, она словно услышала голос деда.

Опять эти странные значки и цифры перед подписью деда... И потом эти последние фразы: «В словах, в мыслях... Забудь о Времени и лети...», Миша уже писал их в последнем письме, которое передал Любе для нее.

«Конечно, мне бы очень понравилось летать там, в космосе». – Взгляд Нины вновь упал на огромную карту неба, прибитую к стене, и она вздохнула: «Да, да, я уверена, милый дедушка, что однажды совершу полет к звездам».

Девочка была одновременно и счастлива, и растерянна от избытка чувств. С нескрываемым любопытством она подошла к зеленой ручке рядом с камином и повернула ее: из стены выскользнул маленький экран, и еще через несколько секунд на нем появилось изображение деда, взволнованно произносившего следующую речь:

Сейчас 2 июня, 21.55. Когда ты увидишь эту запись, меня уже не будет на Земле. У меня нет времени объяснять тебе все. Я в опасности и знаю, что сегодня вечером Каркон бросит мне вызов. Я думаю... думаю, что на этот раз мне не повезет. Через несколько минут он явится. Я покажу тебе его фотографию. Вот он, видишь, ты никогда не должна доверять ни этому человеку, ни его воспитанникам. Ты легко узнаешь их по букве К на одежде. Они – носители Зла и стремятся завладеть Талдомом и моими тайнами. Запомни, моя малышка, Ксоракс должен быть защищен.

На острове Джудекка ты встретишься с четырьмя ребятами. Они станут твоими друзьями. Ты должна принять их помощь... Учись и помни... ты должна спасти Ксоракс! Я уверен, что ты сможешь это сделать. Поищи в книгах, почитай в письмах, войди в Зеркальную Комнату и возьми Кольцо Дыма. Открой люк в полу лаборатории и пройди туннелем.

Ты поймешь все, дорогая... ПОЙМЕШЬ!

Начни с изучения алфавита Ксоракса. За последние месяцы я оставил много меток, которые помогут тебе, потому что знал: мы больше не увидимся. Тебе придется самой открыть для себя некоторые вещи, я не могу рассказать тебе всего. Ты должна знать, что это – правило для нас, алхимиков, Нина.

Ну вот, я чувствую приближение Каркона... я должен идти... прощааай.

Запись резко оборвалась. Пораженная и перепуганная Нина продолжала смотреть на экран, уже темный и беззвучный.

– Ксоракс? Но что это такое?.. А фотография Каркона? Это же фотография того чудовища, которое появлялось в зеркалах! А К, точно, К на майках Алвиза и Барбессы. Они – убийцы! – Нина произносила эти слова вслух, нервно расхаживая по лаборатории с Талдомом в руках. – Я должна сделать много... должна войти в Зеркальную Комнату и взять Кольцо Дыма. Но как я это сделаю? Как я смогу все это сделать?

Взволнованная, она еще раз повернула зеленую ручку, и вновь появилась прощальная запись. Девочка еще раз прослушала слова деда и, глядя в его грустное лицо, поклялась, что сделает все, как он просил.

Для начала она должна прочитать книги, найти письма и понять, что такое Ксоракс. Кроме того, дед говорил о четырех ребятах, которые смогут ей помочь.

«Может быть, это те самые ребята, что придут ко мне сегодня после обеда, – подумала она. – Теперь мне очень хочется увидеться с ними».

Думая так, она уронила ключи, и те упали прямо на крышку люка, о котором, по-видимому, упоминал дед.

– А, вот он, этот люк. Дедушка сказал, что за ним идет туннель. Но как он открывается? – размышляла она вслух. – Может, подойдет один из этих ключей?

В центре люка была вырезана фигура в форме звезды, точно такая же, как на одном из ключей. Нина положила ключ на звезду, но люк не открылся. Попробовала еще раз, два, три – безрезультатно.

«Значит, нужно что-то иное. Но что? Дед наверняка оставил какую-то подсказку». Она подошла к большому столу, взяла фолиант и начала листать страницы. Но, к большому удивлению, увидела, что страницы абсолютно пусты. Да, пусты! Ни одного словечка! Только на первой что-то виднелось. По правде говоря, материал, из которого была сделана страница, вовсе не походил на бумагу: ее неопределенного цвета поверхность казалась жидкой. Внезапно на ней появилась надпись, сопровождаемая глубоким голосом, который шел непонятно откуда:

Добро пожаловать, Нина,
Я – книга Магической Вселенной
И буду сопровождать тебя
На твоем пути,
Где тебе предстоит пройти
Через многие испытания.

Нина в страхе отпрянула от книги. На мгновение она зажмурилась, затем открыла глаза и уставилась на таинственный фолиант.

– Ты разговариваешь? Ты говорящая книга? Я отдам весь шоколад мира, только скажи, что происходит? – вскрикнула она.

Но книга и надпись были неподвижны, голос молчал. Девочка приблизилась и склонилась над книгой. В этот момент появилась новая надпись, и снова прозвучал голос:

Положи на страницу руку со звездой
И задай свой вопрос.

Нина, испуганная и одновременно завороженная, прикоснулась к жидкой странице. Оказалось, это была вовсе не вода, но палец погрузился, не ощутив дна.

Волшебство! Наверное, она присутствует при поразительном магическом явлении.

Уже не пугаясь, она приложила к поверхности листа всю ладонь и задала свой первый вопрос:

– Книга, скажи, что такое Ксоракс?

Книга осветилась изумрудным светом, и через несколько секунд раздался голос:

Ксоракс находится в Галактике Алхимидия.
Это Шестая Луна

Третьего солнца алхимидической системы.
Она расположена от Земли
На расстоянии двух биллионов световых лет.
Ксоракс находится в той части
Магической Вселенной,
Где зародилась жизнь.
Шестая Луна имеет цвет зеленого изумруда.
Основной элемент Ксоракса – свет.
Все разумные вещества состоят из света,
Их дома, все сооружения и предметы
Сделаны из твердого света.
Ксораксианцы живут в атмосфере
И имеют человеческий облик.
Однако видны у них только глаза и рот.
Эти существа очень умны, миролюбивы
И обладают магическими способностями,
Однако не могут покидать Шестую Луну.
Они перемещаются по своей планете
Со скоростью звука.
Но на других планетах жить не могут.
Их единственный инструмент для общения
С другими существами мироздания,
Включая людей, – алхимия и магия.
Цель ксораксианцев – нанести полное
И окончательное поражение
Злу во всей Вселенной.
С этой целью они контактируют
С Белыми Магами,
Такими, как твой дедушка Миша.

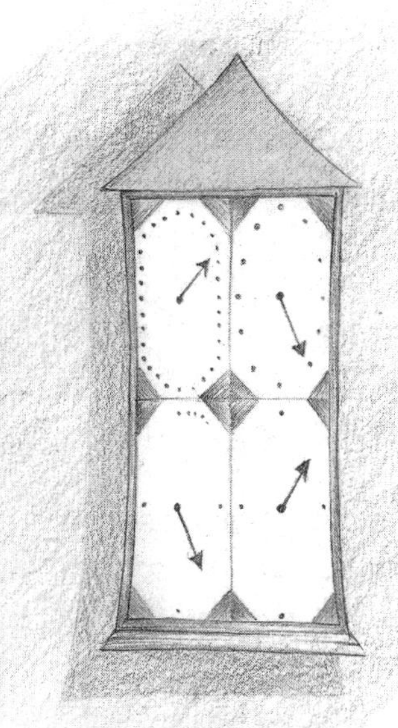

Надпись исчезла так же неожиданно, как и появилась. Книга, закончив говорить, захлопнулась, оставив Нину в полной растерянности. Она смотрела на сияющую обложку с изображением таинственной птицы и, недоумевая, покачивала головой. Капли пота стекали по ее лбу.

«Волшебный мир, мир людей из света. Какая красивая фантастика! Но как дед узнал о Ксораксе? Невероятно, действительно невероятно!» – думала она. Тут девочка бросила взгляд на карту Вселенной, висящую на стене, и поняла, что точка, обведенная красным, по-видимому, и есть Ксоракс, Шестая Луна. Именно эту планету дед Миша завещал ей спасти! Она была ошеломлена важностью миссии, которой были посвящены жизнь и дела ее умершего деда и которую он завещал ей. До Нины постепенно начало доходить, что ей и в самом деле предстоят великие приключения, о каких она всегда мечтала.

На циферблате в лаборатории было 17 часов 1 минута и 3 секунды. Надо поспешить, наверняка ребята из Джудекки уже ждут ее в Апельсиновом Зале. Не стоит проявлять невежливость. Девочка достала бумажную салфетку из кармана, промокнула со лба пот и вышла из лаборатории, оставив на столе Талдом Люкс, черную тетрадь и ключи. Спрятав стеклянный шар в карман, она побежала в Апельсиновый Зал.

Красавчик и Платон валялись на ковре и лениво играли друг с другом. Нина, глядя на них, не могла сдержать улыбки и взяла котенка на руки. Тот от радости лизнул ее в нос, а Красавчик перевернулся пузом вверх в ожидании, что она его почешет.

Сидя на удобных мягких диванах, ее поджидали четверо ребят – два мальчика и две девочки. Одна из них, со жвачкой во рту, белобрысая и крепенькая, была одета довольно эксцентрично: желтая мини-юбка, белая майка, сабо на высокой деревянной платформе и несколько ниток бус из цветных камней на шее. Рядом с ней сидела другая девочка, очень худая, с короткими черными волосами, одетая намного скромнее: синее платьишко с короткими рукавами и зеленые сандалии. Ребята, наоборот, устроились в отдалении друг от друга. Тот, что был в очках, с острым носом и волосами ежиком, удобно раскинулся в кресле и поигрывал металлической цепочкой, время от времени одергивая гигантскую майку с короткими рукавами, тогда как другой, рыжеволосый мальчик в выцветшей зеленой тенниске и коричневых «бермудах», приютился в уголке дивана и неотрывно, словно загипнотизированный, смотрел в пол.

Нина прокашлялась и, продолжая гладить Платона, представилась:

– Привет, я Нина, внучка профессора Миши. Добро пожаловать на виллу «Эспасия».

Первой поднялась на ноги крепышка Рокси, поправляя белые волосы:

– Привет, я Рокси, мне десять лет, я очень рада познакомиться с тобой.

Девочка протянула руку и сильно пожала Нинину.

– Боже! – воскликнула та. – У тебя что, вместо рук тиски?

– Ой, извини! Я еще не научилась контролировать свою силу. Как видишь, у меня хорошо развита мускулатура. – Рокси убрала руку за спину.

– Да, да, она силач нашей компании. Правда, как все девчонки, боится пауков, – засмеялся мальчишка с волосами ежиком, протирая стекла очков.

– Ческо, прекрати подкалывать меня, а то получишь по шее! – ответила энергичная Рокси.

– Уймитесь вы, а то Нина бог весть что о нас подумает. – Голос принадлежал хрупкой девочке с миндалевидными глазами. – Знаешь, они все время подначивают друг друга, но всегда мирятся. Мы, четверо, закадычные друзья, и нам нравится общаться друг с другом. Твой дедушка много о тебе рассказывал.

– А тебя как зовут? – спросила Нина.

– Фьоре. Мне столько же лет, сколько и Рокси. Я обожаю классическую музыку и живопись, люблю животных и часто сплю с открытыми глазами. Они говорят, что я все время витаю в облаках. Но это неверно... – проговорила она слегка высокомерно.

– Ну конечно, она классная куколка. Но при этом, скажем так, довольно умненькая. Она – единственная, кто понял все из лекции твоего деда о происхождении метеоритов, – снова вмешался самый высокий из всех. Один метр 55 сантиметров... И это в десять лет!

– А ты мне кажешься очень разговорчивым.

Как твое имя? – спросила, поворачиваясь к нему, Нина.

– Мое? Как, разве я еще не сказал? Я Франческо, для друзей – Ческо. Я очень любил профессора Мишу и страшно переживал, когда он умер. Он действительно был гением и просто хорошим человеком. Мы очень многому научились у него, – сказал Ческо, становясь серьезным.

Единственный, кто до сих пор не проронил ни слова, был мальчик с рыжими волосами. Нина подошла к нему и положила ему на колени котенка.

– Кра... кра... красивый кот. Как его зо... зо... зовут? – спросил он, заикаясь.

– Платон. А тебя?

– Додо, – ответил мальчик, не поднимая глаз.

– Очень приятно, Додо. Не надо меня бояться, я же тебя не съем, – сказала с улыбкой Нина.

В этот момент вошла Люба с подносом, уставленным тарелочками с пирожными, чашками с чаем, шоколадом и свежим соком. Пока четверо друзей пили чай, Нина незаметно изучала их. Потом она попросила рассказать, чему их учил дед.

Спустя час пятеро ребят уже оживленно болтали, и Нина наконец сказала:

– Я уверена, мы обязательно подружимся.

После этих слов Рокси встала с кресла и протянула ей книгу.

– Держи, это «Затерянные миры», книга Бириана Бирова. Мы знаем, что у тебя ее украли в аэропорту вместе с другими книгами. Это наш тебе подарок в знак дружеского расположения.

Нина побледнела. Посмотрела прямо в глаза Рокси и спросила:

– Биров? А откуда вы знаете, что я обожаю этого писателя? И кто вам сказал, что у меня украли книги?..

– Нам многое известно, Нина. Однако сейчас уже поздно, мы должны уходить, – прервал ее Ческо.

Все четверо одновременно поднялись, поправили подушки на диванах и направились к выходу.

Нина проводила их до самой калитки.

– Вы очень симпатичные. Надеюсь, мы скоро опять увидимся.

Додо подошел к ней, опустив глаза, и произнес только два слова:

– За... за... завтра подойдет?

– Завтра?.. Завтра... – задумалась она. – Завтра у меня много дел, но, может быть, в пять тридцать? Нормально для вас?

– Конечно, нормально, – ответила хором четверка друзей.

В этот момент кто-то бросил в спину Рокси большой камень.

– Айяяяя! Что это? – сморщилась она от боли.

Ческо и Нина посмотрели в ту сторону, откуда, по их предположению, мог прилететь камень, и за мостом увидели убегающих изо всех сил Алвиза и Барбессу.

– Негодяи! – крикнула Нина, а Ческо взял ее за руку и сказал:

– Никогда не подходи к ним близко, особенно одна. Они могут сделать тебе какую-нибудь пакость. Мы их знаем.

Рокси повела плечами и пробормотала:

– Немного больно, но, думаю, ничего серьезного. Камень только скользнул. Пройдет!

Тогда Нина рассказала им об украденных книгах и своих подозрениях, что ворами были именно эти двое с буквой К на груди.

– Правильно, это были они, – подтвердил Ческо. – Мы их загнали в угол вчера вечером. У них в руках было несколько страниц из книги Бирова. Одни порваны, другие измазаны грязью. Они признались, что это из твоей книги, которую они украли в аэропорту вместе с другими и потом бросили в лагуну. Поэтому мы купили тебе новую.

– Тогда вы знаете, кто эти двое. Они сироты Каркона! – воскликнула Нина.

При звуке этого имени четверка замерла. Они не ожидали, что девочка, приехавшая из Мадрида всего пару дней назад, уже знает о Барконе, Черном Маге, этом негодяе. Многим венецианцам он заморочил голову тем, что превратил свой дворец в сиротский приют. Но это была ложь. Все знали, что он проводит в нем колдовские опыты, убивая животных, и обучает мелким пакостям сирот, настраивая их на Зло, на то, чтобы сеять беспорядки и беспокойство среди людей. Вот такое воспитание!

Ходили слухи, что сироты живут в убогих кельях с решетками на окнах, что они никогда не едят, не пьют, а некоторые говорят странными металлическими голосами.

– Князь Ка... Ка... Каркон, ну конечно, мы знаем, кто это такой. Его мало кто видел. Мы его ви... ви... видели всего один раз. Два года назад. Обычно он не покидает свой дво... дво... дворец, – объяснил дрожащим голосом Додо.

– Нина, давай поговорим об этом завтра, – прервал его Ческо. – Мы многое должны тебе рассказать. Сейчас мы уйдем, иначе эти двое вернутся, чтобы сотворить еще какую-нибудь подлость.

Девочка смотрела, как новые друзья перешли по мостику, помахала им рукой, быстро закрыла калитку и пошла к дому, прижимая к груди книжку Бирова. Когда она подходила к двери, ее осенило: Биров написал этот научно-фантастический роман за два года до своей смерти, и в нем рассказывалось о волшебной планете, напоминающей Ксоракс. Нине показалось, что тут есть какая-то взаимосвязь. Может быть, Биров был знаком с дедом. Может быть, он тоже знал о существовании Шестой Луны, и именно она вдохновила его на написание этой книги.

После ужина, когда Люба и Карло увлеченно болтали на кухне, Нина снова вошла в лабораторию. Сейчас, когда она уже знала, что Ксоракс и есть Шестая Луна, ей хотелось узнать остальное.

Она открыла волшебную Книгу, положила руку на жидкую страницу и спросила:

– Книга, скажи мне, дедушка знал Бирова?

Ответ прозвучал через несколько секунд.

Бириан Биров был писатель-фантаст
И алхимик высшего уровня.
Твой дедушка Миша
Был знаком с ним много лет.
Чтобы узнать больше,
Возьми 18-ю книгу на пятой полке
В левом книжном шкафу.

Говорящая Книга захлопнулась, и Нина отправилась в Зал Дожа. В комнате было темно, она нащупала выключатель, зажгла две лампы, прислонила лестницу к шкафу и отыскала книгу. На выцветшем переплете не было никакой надписи, страницы содержали только тонюсенькие линейки, и ни одного слова. Но, пролистав страницы, Нина обнаружила письмо.

«Я и Бириан Биров были друзьями. Он предпочел профессию писателя, но был также и блистательным алхимиком. Биров был одним из Белых Магов Земли, таких, как и я. Он совершил только одну ошибку, которая стоила ему жизни. В своих фантастических романах он описал слишком много реально существующих вещей. Каркон, наш враг, захотел выпытать у него тайны Ксоракса, но Биров не сказал ни слова. Тогда этот проклятый негодяй убил его электрическим разрядом изобретенного им меча Пандемона Морталис.

1004104 DED MISHA

Дед Миша

Когда Нина прочитала эти слова, в ее мозгу вспыхнуло: «Биров был убит Карконом. Какой ужас! Значит, это чудовище могло убить и дедушку. Я это чувствую. Я уверена, что так и было!»

Нина поспешно спрыгнула с лестницы, отчего на пол упало несколько больших книг. Шум потревожил Любу и Карло, они незамедлительно примчались в Зал Дожа и нашли Нину сидящей на полу среди кучи книг.

– Со мной все в порядке, – сказала она, глядя на их встревоженные лица и пряча письмо. – Я иду спать.

Эти двое так и остались стоять с открытыми ртами, но спустя несколько секунд, не дожидаясь распоряжения, начали приводить комнату в порядок. Нина со своими секретами удалилась к себе наверх.

Глава четвертая
Азбука Шестой Луны и Кольцо Дыма

Часы в лаборатории показывали 10 часов 32 минуты и 4 секунды. Нина работала. Она сидела на табуретке перед столом для опытов и читала «Затерянные миры» Бирова в надежде найти какую-нибудь подсказку. На 192 странице она наткнулась на любопытную фразу, написанную такими же символами, которые она видела в письме деда:

И ниже в скобках перевод: летать, чтобы жить.

Значит, эти символы соответствуют буквам.

Слово «летать» в изображении символов выглядит так:

– Эврика! – радостно воскликнула девочка и поцеловала книжку Бирова. Наконец-то до нее дошло, что надо делать с символами в черной тетради деда. Она поняла, что в письмах эти странные значки означали его подпись. «Этот неизвестный язык, наверное, язык Шестой Луны!» Несомненно, что Биров, участвуя в исследованиях и опытах профессора Миши, знал о существовании Ксоракса. Однако в своих научно-фантастических книжках он изложил какие-то особенные вещи, приоткрыл некие тайны, которыми и попытался воспользоваться Каркон. В общем, Нина чувствовала, что она близка к разгадке чего-то удивительного и опасного, но для этого ей оставалось найти недостающее звено: азбуку Шестой Луны.

В романах Бирова рассказывалось о группе ученых, которые из-за сильного метеоритного дождя потерялись в космосе и совершили вынужденную посадку на планете, освещенной ярким светом. Жители этой загадочной и поразительной планеты стояли на очень высокой ступени развития, но, несмотря на это, не смогли помочь нашим героям отремонтировать звездолет, чтобы вернуться на Землю.

Нина подумала, что Биров дал ей хорошего проводника по длинной дороге познания Ксоракса, и теперь находила особый смысл, вчитываясь в фразы, начертанные странными символами. «Летать, чтобы жить... В этом что-то есть. Это означает, что я должна подняться туда, в космос, и лететь на Шестую Луну, чтобы постичь ее тайны и защитить ее».

Мозги Нины готовы были закипеть. Она глубоко вздохнула: дел у нее – всех не переделать, но сначала надо подумать, как отомстить Каркону за смерть несчастного Бирова и деда, как уничтожить Пандемон Морталис, как найти Кольцо Дыма, как открыть люк, как понять, для чего служит Талдом Люкс... И все это самой, в одиночку!

«Мне никогда не сделать этого, – подумала она, – без помощи моих новых друзей. Но я не могу пока открыть им все тайны. Я вообще не уверена, могу ли полностью доверять им». Сомневающаяся и недоверчивая Нина хотела быть абсолютно уверенной. Сейчас, когда деда больше не было, алхимиком стала она. Она одна могла и должна была продолжить дело, начатое профессором Мишей.

Нина подошла к волшебной Книге, положила руку на страницу и задала новый вопрос:

– Книга, скажи, где я могу найти азбуку Шестой Луны?

Страница осветилась зеленым светом, и голос ответил:

На столе лежит мешочек,
Завязанный шнурком.
Открой его, возьми
Тридцать три металлические пластинки,
Которые в нем найдешь.

Брось их в белую плошку,
Добавь две чайные ложки серы,
Зуб дракона,
Треть чайной ложки живой ртути,
Восемь капель синей камеди
И мешай маленькой черной палочкой
В течение семи минут и четырех секунд.
Вылей все в тигель,
В котором уже лежат сапфир и золото,
И кипяти в течение девяти секунд.
Затем вылей все, ничего не опасаясь,
Прямо на эту страницу.

Нине предстояло приготовить первый в ее жизни алхимический препарат. И здесь пригодились уроки профессора Хосе. Она вспомнила три основных правила при изготовлении эликсиров и снадобий:

1. Полностью концентрировать мысль только на цели, которую необходимо достичь.

2. Не бояться работать с алхимическими препаратами.

3. Строго придерживаться рецептур, как в количествах компонентов, так и во времени операций.

По правде говоря, даже в Мадриде под четким руководством профессора Хосе, ей никогда не приходилось делать такие сложные алхимические составы. Боязнь ошибиться была

RESINA BLU
ZOLF
MER

очень сильной, но, собравшись с духом, Нина взяла мешочек и развязала его. Внутри лежали тридцать три металлические пластинки. Она осторожно сложила их в белую плошку, затем обвела глазами полки, уставленные рядами банок с этикетками. Они были расставлены строго по нарастанию интенсивности цвета. Нина нашла банку с серой, выше стояла колба с живой ртутью, на нижней полке шкафа девочка увидела длинную с узким горлышком бутылку с синей камедью. Оставалось найти зуб дракона. Ни в коробках, ни в ящиках лабораторного стола – нигде его не было. Но на полке маленького камина с неугасимым огнем она заметила желтую пирамидку высотой около полуметра из твердого грубого материала. На плоскости, обращенной к стене, была надпись: «Дракон». Вершина пирамиды была закупорена пробкой, и, открыв ее, на дне Нина увидела накрытые пучком соломы восемь огромных желтых с серыми пятнами зубов.

– Клянусь всем шоколадом мира, они настоящие! – перебирая их, воскликнула она. Большим медным пинцетом девочка выбрала один зуб и положила его в миску. Затем, помня наставления профессора и следуя инструкциям волшебной Книги, она начала свое алхимическое действо.

Не сводя глаз с часов, Нина перемешивала содержимое плошки ровно семь минут и четыре секунды: зуб растворился почти полностью, металлические пластинки оставались еще целыми, но с ходом времени каждая из них принимала свой цвет.

Затем, надев рукавицы, чтобы не обжечь руки, юная алхимичка вылила содержимое миски в стоящий на огне тигель и кипятила ровно девять секунд.

Смесь приобрела неопределенный цвет, что-то среднее между фиолетовым и синим, и сильный терпкий запах.

Нина осторожно сняла тяжелый тигель с огня, вылила содержимое на жидкую страницу. И стала ждать.

Над страницей поднялось фиолетовое облачко, а когда оно рассеялось, стали видны тридцать три символа алфавита Шестой Луны, словно зависшие в пустоте. Они были из блестящего материала и переливались разными цветами.

И тут прямо на глазах символы столбиком отпечатались на вдруг появившемся пергаменте.

Сбоку от каждого была буква, которой соответствовал символ:

– Вот здорово! Клянусь всем шоколадом мира, мне это удалось!

А	К	Х
Б	Л	Ц
В	М	Ч
Г	Н	Ш
Д	О	Щ
Е	П	Ъ
Ё	Р	Ы
Ж	С	Ь
З	Т	Э
И	У	Ю
Й	Ф	Я

Нина была не просто довольна, она трепетала перед этим листом пергамента, материализовавшимся на ее глазах. Это был ключ, открывающий путь в мир Ксоракса.

Дрожащими от волнения руками девочка взяла лист и положила его на стол. Пергамент был еще горячим, она подула на него, затем потрогала отпечаток символа пальцем: он был рельефным и переливался всеми цветами радуги. Удовлетворенная результатом своего первого алхимического опыта, Нина устало опустилась на табуретку.

Часы показывали 13 часов 42 минуты и 8 секунд.

Было действительно поздно! Люба наверняка сердится: Нина пропустила обед. Прежде чем покинуть лабораторию, она вернула все на свои места и оставила страничку с алфавитом рядом с Книгой. Закрыв дверь, девочка побежала на кухню, где няня кормила кота и пса.

– Я здесь, Безе. Извини, пожалуйста, за опоздание, – протянула она сладким голоском.

Люба, не в силах сердиться, ласково посмотрела на нее, прощая.

– Ты совсем как твой дедушка: для тебя тоже времени не существует. Но есть-то надо! В Апельсиновом Зале накрыт стол, там ты найдешь все, что любишь.

В этот момент они услышали крик, доносившийся с улицы.

Няня и Нина бросились на крик и увидели молодого человека, лежащего на ступеньках мостика. Это был почтальон. Карло был уже рядом и помогал ему подняться.

– Что случилось? – с тревогой спросила Люба.

– Эти мерзкие хулиганы, это опять они. Они толкнули его, и он упал, – ответил садовник.

– Те, что с буквой К?

– Они самые, Алвиз и Барбесса, – подтвердил Карло, поднимая несчастного почтальона, продолжавшего прижимать к груди длинный, перегнутый пополам при падении пакет на имя Нины.

– Ах, какая жалость, – печально сказал почтальон, все еще под впечатлением от случившегося.

Пока Люба бегала за водой, чтобы успокоить почтальона, а Карло продолжал ругать проклятых близнецов, Нина, сгорая от нетерпения, вскрыла пакет, прибывший из Испании.

Внутри она нашла документы для сдачи экзаменов в Венеции и письмо профессора Хосе, которое надо будет передать преподавателям.

– Уффа, экзамены! – воскликнула она и вытащила из пакета сломанную пополам дощечку. – Это же моя табличка с надписью! – огорчилась Нина, но лишь на мгновение. – Я ее склею и повешу, как в Мадриде, в спальне, – обрадовалась она, представив тетю Андору, ненавидевшую этот «кусок фанеры»!

Наскоро перекусив и как всегда сунув в карман плитку шоколада, Нина отнесла табличку в комнату, положила на пол, взяла суперклей и соединила половинки. Платон и Красавчик все время пытались лизнуть табличку, но Нина, отогнав их, пообещала найти время поиграть с ними позже.

– Я знаю. Знаю, что уделяю вам мало внимания, но у меня очень много работы. Может, сегодня после ужина мы поиграем вместе в парке. Эй, осторожнее, да не трогайте вы дощечку. Дайте клею высохнуть, чтобы завтра я могла повесить ее над кроватью.

Было уже четыре вечера. Нина, готовясь к встрече с новыми друзьями, сушила волосы феном – она только что приняла душ и была в отличном настроении.

Она натянула красную маечку, желтый комбинезон и посмотрелась в зеркало: глаза ее блестели, зубы сияли белизной. Преследуемая по пятам котом и псом, она легко сбежала с лестницы, к Залу Дожа, по дороге загнала животных на кухню, а сама вошла в лабораторию: она хотела узнать, насколько может доверять новым друзьям.

Формулу эликсира «прочной дружбы» она помнила хорошо. Это была одна из трех первых композиций, которым обучил ее профессор Хосе. И хотя она знала, как приготовить препарат, ей еще никогда не приходилось попробовать его действие на ком-либо.

В Мадриде за год занятий Нина изучила азы алхимических процессов, свойства металлов и жидкостей, но ни разу не испытывала на людях изготовленные ею препараты.

Она поискала золу рубина – тончайшую пудру, раскрепощающую речь, а также анис разумный, такой же по субстанции, придающий словам искренность. Она всыпала в белую плошку четыре грамма первого и восемь граммов второго порошка и смешивала их ровно двадцать секунд. Затем высыпала смесь в тигель, залила водой Салис, которая упрочивает верность, и кипятила в течение одной минуты и четырех секунд. Получилась ароматная жидкость красного цвета. Нина осторожно перелила ее в стеклянную бутылочку, которую, чтобы та не испарялась, заткнула сахаром Сертис. Затем взболтала содержимое, покачав бутылочку сначала влево семь раз, потом вправо шесть раз, под магическое заклинание: «Лгун упадет, если соврет. Дружба будет крепкой и достойной того, чтобы ею дорожить, если пьющий не выплюнет этот горький напиток!»

После чего, довольная, воскликнула:

– А сейчас я их испытаю. Каждый из них должен будет выпить по два глотка, и, если им действительно суждено стать моими верными друзьями, с ними ничего не случится. А если они будут неискренними, то упадут в обморок.

Ребят ожидало не самое приятное испытание, но у Нины не было другого выбора. Она положила бутылочку в карман, вышла из лаборатории и точно в назначенное время предстала перед четырьмя друзьями, ждавшими ее в Каминном Зале.

– Я рада снова видеть вас. Сейчас я предлагаю прогуляться по саду, где мы сможем поговорить. Я прихватила с собой книгу Бирова и маленький сюрприз.

– Ты хотела узнать поподробнее об Алвизе и Барбессе, – напомнил ей Ческо, как только они вышли в сад.

– Не сейчас. Начнем с того, что каждый из вас выпьет по два глотка этого напитка, – сказала она, доставая буты-

лочку из кармана. Четверка друзей, недоумевая, уставилась на нее.

– Что это? Кровь? – с опаской глядя на бутылочку, спросила Фьоре.

– Нет, не кровь. Это эликсир. Если вы действительно хотите стать моими друзьями, вы должны выпить это, иначе я не смогу доверять вам. И не выплевывать, а проглотить. Я должна сказать вам очень много важных вещей и должна быть уверена, что никто из вас меня не предаст, – ответила она очень серьезно.

Додо еле слышно спросил:

– Это во... во... волшебный эликсир? Значит, ты тоже маг? Ве... ве... ведьма?

– Я алхимик, как и мой дедушка. Видите? – Она показала им ладошку со звездочкой. – У моего деда было такое же родимое пятно в форме звезды: это знак магии. Это значит, что я унаследовала алхимические способности семьи Белых Магов. Можете мне верить.

Ческо шагнул вперед, глядя Нине прямо в глаза, открыл бутылочку и сделал два глотка.

– Фу, ну и гадость! Горькая, словно яд, – сморщился он, проглотив жидкость.

Нина рассмеялась. Бутылочка пошла по кругу, все пили, жутко морщась, но никто не выплюнул.

Нина внимательно наблюдала за действием эликсира, но, к счастью, никому плохо не стало и никто из ребят не рухнул на землю без чувств.

Счастливые объятия и рукопожатия закрепили дружбу, перешедшую на новый уровень.

– С этого момента мы настоящие друзья. Вы прошли через фильтр Вечной Дружбы. Теперь я убеждена, что никто из вас не подведет меня. Я могу доверять вам и всем с вами делиться. Мне нужна ваша помощь в войне против Каркона и его коварных сирот. Я точно знаю, что это они убили моего деда и Бириана Бирова, – сказала Нина.

После этого ребята уселись на траву и Нина начала рассказывать обо всем, что случилось с ней, о существовании лаборатории и о магической Книге. Она открыла «Затерянные миры» и показала фразу, начертанную символами, сказав, что это написано на языке Ксоракса, азбуку которого она расшифровала.

Ребята сидели под развесистой магнолией, увлеченные рассказом Нины. У Ческо от волнения вспотели ладони, Додо стал темно-лиловым и бормотал что-то бессвязное, Рокси нервно теребила щеку, а Фьоре покусывала большой палец правой руки. Они не могли поверить, что рассказ их новой подруги – истинная правда. История настолько захватила их, что они даже не задавали никаких вопросов.

– Теперь вы знаете все, что со мною произошло. Нас ждут трудные испытания, и я не знаю, сможете ли вы войти в лабораторию, как я, и научиться работать с магическими металлами и жидкостями. По крайней мере, пока не знаю. Некоторые вещи должна делать только я, но для многих других мне понадобится ваша помощь. Мы должны обезвредить Каркона и заставить его ответить за безжалостные и подлые убийства. А теперь поклянитесь, что никогда никому не расскажете о существовании Ксоракса! – закончила Нина.

Рокси подняла правую руку:

– Скажу честно, я побаиваюсь. Однако я с тобой.

– Я тоже, – сказал Додо, внезапно перестав от волнения заикаться.

Ческо вскочил на ноги и торжественно произнес:

– Мы защитим Ксоракс и уничтожим Зло. Страху нет места в наших сердцах. Судьба объединила нас, и профессор Миша знал об этом всегда. Твой дедушка, дорогая Нина, знал очень много вещей и научил нас кое-чему, что может нам пригодиться.

– А сейчас ваша очередь рассказать мне, кто такие Алвиз и Барбесса и где находится сиротский приют Каркона. Нам необходимо выкрасть Пандемон Морталис, иначе мы

все время будем в опасности, – сказала Нина и медленно пошла по аллее, ведущей к лагуне.

Четверка друзей двинулась за ней. Ческо рассказывал о злобных близнецах, об их безобразных поступках по отношению к людям и животным, а также о том, что дворец Каркона находится в двух шагах от площади Сан-Марко, что это старинное здание, куда нет хода никому. Кроме Каркона и десятка сирот, там живущих.

– Алвиз и Барбесса – любимчики Черного Мага. Они очень ловкие и отчаянные, выполняют все его приказания и контролируют зону острова Джудекка, – говорил Ческо. – Но есть и другие дети, подчиняющиеся Каркону. Самые отвратительные из них – Гастило, Сабина и Ирена, они обычно шляются по улицам и переулкам в районе моста Риальто. Кроме того, у Каркона есть преданный и жестокий помощник по имени Вишиоло. Маленького роста, кривой, волосы у него, как жесткая пакля. Мы прозвали его Одноглазый. Этого негодяя частенько можно видеть катающимся на пассажирских катерах по лагуне и каналам. С ним постоянно какие-то сумки, корзины, пакеты, набитые бог знает чем, и зимой и летом на нем одно и то же коричневое пальто. Бррр... меня озноб пробирает при одной только мысли о нем!

Нина внимательно слушала. Фьоре взяла ее за руку:

– Знаешь, однажды мы вчетвером оказались с Одноглазым нос к носу. Он плюнул в нашу сторону со словами, что мы глупые животные, раз посещаем уроки профессора Миши. В его словах было столько ненависти, что мы чувствовали себя так, словно нас облепили навозные мухи.

– Ладно, ребята, все ясно. Сейчас мы должны придумать, как нам похитить и обезвредить Пандемон Морталис, – решительно сказала Нина. – Вы пока думайте, как это сделать, а я должна решить еще кое-какие проблемы. Мне обязательно надо найти Кольцо Дыма и открыть люк в лаборатории, чтобы понять, какие секреты он скрывает. Я буду работать всю ночь и весь завтрашний день. Мы встретимся через три дня, я буду ждать вас к обеду. Если возникнет срочная необходимость, пользуемся только мобильными телефонами. Я не хочу, чтобы Люба или Карло что-либо заподозрили.

Солнце заходило, и закат красиво раскрасил небо и воду в лагуне. Парк виллы казался настоящим раем – благоухающий цветами, ласкаемый легким ветерком. Счастливый Красавчик носился по тропинкам, лая на летающих высоко чаек, а Платон наблюдал за муравьями, сновавшими по стволу старого дерева.

Приближался час ужина, и Нина, попрощавшись с друзьями, предупредила Любу, что ей будет достаточно чашки молока и большого куска шоколадного торта. Однако Люба принесла ей также миску фруктового салата и стакан апельсинового сока.

Эта ночь была важной для Нины: она должна была обязательно найти Кольцо Дыма, без которого не могла приступить к разгадке тайн Ксоракса. Она вошла в лабораторию, поставила тарелку с тортом на стол и спросила Книгу:

– Книга, скажи мне, как я могу достать Кольцо Дыма?

Появившаяся жидкая страница очень скоро ответила:

Кольцо Дыма находится
В Зеркальной Комнате.
Зажги полумесяц и посмотри

Комнату и вновь увидеть лицо Каркона во всех зеркалах! Но она во что бы то ни стало должна сделать это. Сжав в кулаке Талдом Люкс и ключ с полумесяцем, с рвущимся из груди сердцем, девочка поднялась по винтовой лестнице и приказала Красавчику сторожить у двери в спальню деда и лаять, если подойдет Люба. Пес с удивлением посмотрел на нее и уселся у двери. Нина решительно прошла через спальню и внутренний коридорчик, но, когда оказалась перед дверью в Зеркальную Комнату, руки и ноги у нее задрожали. Она вставила ключ в замочную скважину, дверь распахнулась, и полумесяц, как и в первый раз, осветил зеркальные стены. Нина отсчитала пятое зеркало на правой стене, как велела Книга, и медленно подошла к нему. Одной рукой она толкнула зеркало, другой крепко сжала Талдом Люкс. Зеркало налилось огненно-красным светом, и во всех зеркалах появилось изображение Каркона во всем его безобразии. Полумесяц погас, комната озарялась только светом пламени, лившимся со стен. Черный Маг злобно захохотал, как и в прошлый раз. Нина почувствовала холодный пот на лбу. Куда бы девочка ни посмотрела, везде натыкалась на его мерзкую физиономию. Она отбросила полумесяц, сжала рукоятку Талдома обеими руками и направила его острие на изображение Каркона в пятом зеркале.

– Исчезни, ненавистный Каркон! Пошел вон! Я тебя не боюсь. Я Нина, внучка Миши, и я тебя уничтожу! – закричала она изо всех сил.

Из клюва птицы на Талдоме вырвался синий луч, ударил изображение Мага прямо в лоб, и оно исчезло со всех зеркал. Следующий луч прошелся по зеркалам, гася метавшееся в них пламя. Запахло серой, стало трудно дышать. Нина почувствовала, что задыхается, глаза нестерпимо жгло. Силы оставили ее, и она упала на колени перед пятым зеркалом. Талдом выпал из ее руки...

Нина с трудом открыла еще слезящиеся глаза и увидела прямо перед собой серебряную шкатулку. Некоторое время она сидела неподвижно в тишине, потом посмотрела по сторонам: все в комнате вернулось к обычному состоянию, никакого пламени в зеркалах, никакого дыма, никакого Каркона. Полумесяц вновь освещал комнату, и его свет отражался зеркалами. У ее ног лежал Талдом Люкс, испускаемое им синее свечение медленно угасало...

Нина взяла шкатулку и открыла ее. В глаза ей ударил яркий зеленый луч, отраженный гранями огромного изумруда, укрепленного в центре изумительного по красоте кольца. Магического Кольца Дыма!

Наконец это свершилось! Ей удалось одержать не только маленькую победу над Карконом, изгнав его из Зеркальной Комнаты, но и найти то, что она искала. Девочка осторожно положила кольцо в шкатулку и, пошатываясь, вышла из комнаты. Она позвала пса и приказала ему нести Талдом. Кто бы только знал, как же она устала и как ей хотелось упасть на кровать! Но она не могла позволить себе расслабиться... Не сейчас: сначала надо придумать, где надежнее спрятать кольцо. Девочка спустилась в лабораторию, поставила шкатулку рядом с пирамидой «Дракон», взяла Талдом из пасти пса, который с радостью от него избавился, села на табуретку, положила голову на лабораторный стол и... обессиленная, провалилась в сон.

На следующее утро Нина проснулась очень рано, с восходом солнца. Часы показывали ровно шесть. Спину ломило. Она поднялась с табуретки, широко зевнула, протерла глаза и обнаружила, что всю ночь провела в лаборатории. Взгляд ее упал на серебряную шкатулку, стоящую радом с пирамидой, и до нее дошло, что она действительно нашла кольцо и это ей вовсе не приснилось.

– Я победила тебя, Каркон. Первую партию выиграла я. Теперь я постараюсь уничтожить

Пандемон Морталис, – торжествуя, сказала она.

Наконец-то девочка смогла вернуться в свою комнату, принять душ и прибить дощечку с любимым изречением над кроватью. Клей подсох, и трудно было поверить, что еще вчера этот кусок фанеры был сломан. Да, утро начиналось рано и хорошо. И хотя она ночь спала не на мягких подушках, голова ее работала ясно, а первая ночная победа придала сил. Нина прошла на кухню, налила стакан холодного молока, съела пару миндального печенья, потом покормила собаку и кота и написала записку няне.

Дорогая моя Безе, не сердись на меня, я уже позавтракала и весь день проведу в лаборатории. Не беспокойся, я взяла с собой поесть: фрукты, хлеб, варенье и тарелку твоей чудесной печеной картошки.

Спасибо.

Целую. Ниночка

С печеньем во рту она вернулась в лабораторию, уверенная, что на этот раз ей удастся открыть люк. Однако ключ в форме звезды, идентичной звезде на люке, не открыл его. Значит, он служит для чего-то другого. Но для чего?

Нина положила руку на жидкий лист Книги и задала очередной вопрос:

– Книга, скажи, что я должна делать, чтобы открыть люк?

На этот раз ответ волшебной Книги был сух и краток:

Люк откроется,
Когда изменится черная звезда.

– Моя звезда? Мое родимое пятно? Значит, мне надо ждать каких-то плохих событий? – спросила девочка растерянно. – Но когда это случится? Я не могу ждать, нельзя давать Каркону времени помешать мне.

Энтузиазм, которым она горела еще несколько секунд назад, таял на глазах. Звезда была маленькой и красной, как обычно. Нина не знала, что предпринять, и спросила Книгу, как сделать, чтобы звезда потемнела.

И Книга дала ответ:

Звезду заставляет чернеть страх смерти.
Встреться лицом к лицу с Карконом
И завладей Пандемоном Морталис.
Ты должна держать в руке злотворный меч
Не менее десяти секунд.
После чего звезда станет черной.
Но знай, для того,

Чтобы уничтожить Пандемон Морталис,
Ты должна будешь сразиться
С Карконом еще несколько раз.
Постарайся сразу же
Не использовать Талдом Люкс,
Ты еще не готова для этого.
Начиная битву,
Ты будешь не одна:
Твои друзья помогут тебе.
Но помни, ты должна вернуться
В лабораторию, пока звезда будет еще черной,
В противном случае люк не откроется.

И Книга захлопнулась.

– Клянусь всем шоколадом мира, страх смерти, вот что я должна испытать, – воскликнула Нина.

Она посмотрела на люк и почесала звезду на ладошке.

Что делать, стало ясно, и делать это надо как можно скорее. Чтобы звезда почернела, она должна подержать в руках колдовской меч Каркона. Нина взяла мобильный телефон, позвонила Ческо и объяснила ему, что время не ждет: ей надо срочно проникнуть во дворец Мага. У Ческо уже была идея, как это осуществить: выдать себя за сироту.

– Каркон нас хорошо знает, и нам не удастся туда войти... Правда, и тебя он тоже знает,

Нина. Нужно хорошенько обдумать, как обмануть его.

Нина ответила, что не может подвергать риску их жизни и пойдет туда одна. Она знала формулу микстуры, которая может изменить внешность, сделав человека страшным и противным. И она спокойно пройдет во дворец, не вызвав подозрений, а они подождут ее у выхода.

– Встречаемся в 22.30 на площади Сан-Марко, – сказала Нина. – Предупреди остальных. Помни, что я буду выглядеть иначе, и не пугайся, действие микстуры длится всего час, затем все станет по-прежнему. Единственное, что вам нужно будет сделать, – доставить меня обратно на виллу. Потом поймете почему.

Подготовка микстуры потребовала больше времени, чем ожидалось, поскольку Нина знала ее формулу только в теории, на практике же никогда еще не делала ее. Формулу ей сообщил дедушка, который использовал в этом случае жидкость, созданную им лично, – Кислоту Ухудшающую. Он настаивал ее на сгнивших цветах, но не обычных, а... дедушка говорил, что на нашей земле они не растут...

«Может, это цветы с Шестой Луны», – пронеслось в голове Нины.

Она поискала кислоту среди пузырьков и стеклянных бутылочек. Нашла целый литр. У кислоты был серый цвет и противный запах. Действительно гадость.

Нина налила две столовые ложки в белую миску и, помешивая по часовой стрелке деревянной лопаткой, семь раз произнесла: «Злой и страшный», после чего из миски повалил черный дым. Она зачерпнула полученную жидкость, закрыла глаза, отсчитала восемь капель и проглотила, стараясь, чтобы ее не стошнило. Ууфф! Запах был непереносим!

Сидя на табуретке, Нина терпеливо ждала результата: до завершения трансформации должно было пройти не менее трех часов. На циферблате было 19 часов 32 минуты и 5 секунд. Время шло, кожа девочки постепенно приобретала фиолетовый цвет, глаза уменьшались и краснели, полностью изменился цвет волос, нос заострился и сморщился, зубы стали кривыми и гнилыми. У Нины поднялась температура, сильно кружилась голова, отчего ей казалось, что стены лаборатории колышутся. Изменилась и ее одежда, растворившись, словно в кислоте. Вместо джинсов и майки на ней теперь было длинное черное пальто, все в прорехах и заплатках. Процесс завершился. Нина выглядела чудовищно. Самым интересным было то, что она чувствовала, как внутри ее меняется даже душа, становясь мерзкой и жестокой, но, к счастью, дед научил ее контролировать новые эмоции: ненависть она должна сохранять для Каркона.

Девочка осторожно вышла из лаборатории: не хватало еще, чтобы ее в таком виде увидела Люба!

– Безе, Безе! – крикнула она из Зала Дожа. – Я очень устала и иду спать, пожалуйста, приготовь мне что-нибудь вкусненькое и оставь поднос у двери в спальню. Только не входи, прошу тебя, я приму душ и потом поем.

– Ладно, малышка. Я сейчас приготовлю тебе вкуснейшее пюре из артишоков! – крикнула в ответ русская няня, ни о чем не подозревая.

На цыпочках, завернувшись в ужасное пальто, Нина пересекла зал, прокралась к входной двери, стараясь не шуметь, открыла ее и выскользнула наружу.

Ощупывая морщинистыми руками лицо и голову, она чувствовала себя не в своей тарелке. Впечатление было жуткое: все теперь было не ее, она превратилась в самое настоящее маленькое чудовище. Молнией она пронеслась по мостику и зашагала к пристани, освещенной неоновыми лампами. На ней ожидали пароходика только три человека, и слава Богу, потому что когда они увидели ее, то, мягко говоря, ужаснулись. Стараясь ни на кого не глядеть, Нина уселась в сторонке и отвернула голову. Через несколько минут она уже плыла в направлении площади Сан-Марко. Горячий июньский ветерок забирался под старое и рваное шерстяное пальто. Она спешила на встречу с Врагом Номер Один, Карконом, но к радости от сознания, что скоро она будет держать в руках Пандемон Морталис, примешивался страх вероятной гибели. Нина была храброй девочкой, но этой ночью одного только желания победить могло оказаться недостаточно.

Глава пятая
Каркон и Пандемон Морталис

Часы на площади Сан-Марко показывали ровно 22.30, оркестры в кафе играли приятную музыку, услаждавшую слух многочисленных туристов, удобно расположившихся за столиками на открытом воздухе и попивающих разные напитки и прекрасные вина. Это был классический венецианский вечер, награда за дневную беготню по улицам и переулкам в поисках наслаждений в виде памятников и произведений искусства. Но Нине было не до этого. Преображенная в противное глазу существо, похожее на сморщенного гнома, она пряталась за колоннами здания в ожидании своих друзей. Наконец она их увидела, всех четверых.

Рокси надела брюки из блестящей ткани и скакала туда-сюда, словно ей сунули в них тарантула, Фьоре уселась на мраморные ступеньки, а Додо и Ческо продолжали о чем-то спорить.

Нина подскочила к Рокси и, скаля зубы, прохрипела:

– Дрянная глупая девчонка, ты во что одета? Хочешь, чтобы Каркон нас сразу же раскрыл?

Рокси заверещала от ужаса и бросилась в объятия Додо:

– Ааааааааа! Чудовище! У него в глазах огонь и фиолетовая кожа!

Додо не удержался на ногах и вместе с Рокси свалился на землю. Сцена была комичной, но Нине было не до шуток.

Ческо сразу же догадался, что это чудовище – на самом деле Нина, изменившая облик при помощи магического эликсира.

– Не бойтесь, это же Нина! Конечно, не очень-то на нее похожая, но... так надо для того, чтобы завладеть Пандемоном Морталис. Понятно?

Остальная троица, широко распахнув глаза, кивнула, а Нина топнула ногой и распорядилась:

– Вперед, в сиротский дом! – и прикрыла лицо краем пальто, волочащегося по земле.

Вход во дворец Каркона находился в десятке метров от них. Рядом с вывеской «Сиротский дом Каркона» висел колокольчик, и Нина, прежде чем позвонить в него, обернулась к своим товарищам по приключению:

– Слушайте внимательно: сейчас я войду и пробуду там чуть меньше часа в поисках зловредного меча. Если я не вернусь к 23.15, бегите со всех ног на виллу «Эспасия» и закройтесь в ней.

Она передала стеклянный шар Ческо, ключ с полумесяцем – Фьоре, ключ со звездой Додо и Кольцо Дыма – Рокси.

– Сохраните эти предметы, они очень ценные и обладают магическими свойствами. С собой я возьму только Талдом Люкс, я знаю, что не смогу им воспользоваться, но с ним я чувствую себя увереннее. Прощайте, дорогие друзья. Надеюсь скоро с вами увидеться.

Все четверо обняли ее и скрылись в соседнем переулке. Нина позвонила в колокольчик три раза... Минуту спустя окошко в двери открылось, и в нем показалась обеспокоенная физиономия Вишиоло – Одноглазого.

– Ты кто? Чего тебе надо в такой час? – спросил противным голосом помощник Каркона.

– Я очень устала и проголодалась. Люди меня прогоняют, потому что пугаются моего вида. Позволь мне войти, и я сделаю все, что ты прикажешь, – умоляя, запричитала девочка.

– Все? – спросил Вишиоло. – Все-все? Сможешь, например, убивать кошек и собак и класть яд в хлеб старушек?

– Запросто. Я это сделаю, если ты меня об этом попросишь. Но сейчас впусти меня. Я сирота... и такая несчастная!..

Слова, произнесенные Ниной, были что надо, и ее друзья, хорошо слышавшие диалог, были поражены их убедительностью.

Вишиоло впустил девочку, закрыл дверь на цепочку, но затем, схватив за ухо, потащил ее до самой трапезной – огромной комнаты с высоченными потолками и изъеденными плесенью стенами. В центре на длинном узком столе стояла лишь одна свеча, чье слабое пламя практически ничего вокруг не освещало. Здесь царил полумрак, и, хотя на улице стояло лето, в комнате была полярная стужа. Из окон, забранных решетками, словно в тюрьме, проникал ветерок, колыхавший пламя свечи, отчего на темно-серых стенах играли жуткие тени.

Одноглазый плюхнул на стол чашку с похлебкой и бросил кусок черствого хлеба.

– Лопай побыстрее, уже поздно, я хочу завалиться спать.

Нина заставила себя быстро проглотить несъедобное варево: ей тоже не хотелось терять время. Вишиоло единственным глазом наблю-

дал за каждым движением свалившегося ему на голову маленького монстра и радостно потирал руки от сознания того, что заполучил в ученицы еще одну девчонку. Как только Нина покончила с едой, он снова схватил ее за ухо и потащил в маленький темный и сырой чулан с валявшимся на полу старым грязным матрасом.

– Вот тебе постель, – сказал он. – Завтра утром я отведу тебя к хозяину, князю Каркону, пусть он решает, оставаться тебе тут или нет.

Вишиоло поправил черную повязку, закрывавшую отсутствующий глаз, и вышел, оставив дверь открытой. Нина растянулась на клочковатом матрасе, притворившись, будто тотчас уснула, но, как только затихли вдали шаги Одноглазого, выскользнула из чулана. На цыпочках она пересекла коридор, моля Бога, чтобы никого не встретить, и очутилась в очень странном помещении с разбросанными повсюду металлическими деталями. Было такое ощущение, что в здании нет ни одной живой души, только с верхнего этажа порой доносился неприятный скрип. Девочка, стараясь ничего не задеть, перешла в другую комнату, меньшую, чем первая, где стояли большие колбы с зеленоватой жидкостью, старые компьютеры, валялись микрочипы и мотки электрических проводов. С потолка свешивались семь цветных шаров, которые, по-видимому, имитировали солнечную систему: благодаря электрическому механизму планеты и звезды безостановочно вращались.

Дворец Ка д'Оро многим походил на место для исследований, магических экспериментов и научных поисков, но атмосфера, которая в нем царила, была гнетущей: каждая вещь здесь, казалось, была задумана и создана больным воображением. Нине очень хотелось остановиться и лучше разглядеть все эти предметы, но время торопило ее, в памяти всплыла надпись на стене в лаборатории деда: «Время служит, но не существует». Здорово сказано, точнее не придумаешь!

Пройдя вторую комнату, она очутилась перед двумя лестницами, освещенными факелами. Нина выбрала левую, поднялась на следующий этаж и успела заметить, как в одну из комнат вошел Вишиоло и закрылся на ключ. Затем она услышала странные звуки, доносившиеся из комнаты в конце коридора. Она тихонько подкралась к двери: сквозь щель под нею проникал зеленоватый свет. Нина посмотрела в замочную скважину и увидела того, кого искала, князя Каркона. Она вздрогнула: именно это лицо, такое дьявольское, приводило ее в ужас в Мадриде и в Зеркальной Комнате на вилле «Эспасия». Стало быть, это комната гадкого Мага, куда ей предстоит войти, чтобы завладеть мечом. Но как?

Неожиданно ее осенило, и она сразу принялась за осуществление своего плана. Девочка несколько раз кашлянула так, чтобы ее услышал Каркон. И действительно, маг высунулся из комнаты и недовольно крикнул:

– Кто здесь за дверью? Кто осмелился побеспокоить Каркона?

Он был одет в длинную фиолетовую шелковую рубашку все с той же буквой К на груди. И тут он заметил Нину. Серые глаза Каркона уставились на девочку, которая, потупившись, опустилась на колени, протянула к нему руки и сказала умоляюще:

– Прошу тебя, Каркон, не наказывай меня. Я хотела только попросить тебя об одной вещи.

– Кто ты? Я никогда тебя раньше не видел. Кто тебя впустил? Что тебе здесь надо? – спросил он раздраженно.

– Я была очень голодна, и синьор без одного глаза впустил меня. Я знаю, кто ты, и знаю, что могу попросить у тебя помощи. Ты спас многих детей, таких, как я. Позволь мне остаться и стать твоей ученицей. Ты об этом не пожалеешь. Можешь испытать меня, – сказала Нина чуть слышно.

Князь поразился словам маленького уродца.

– Уж больно ты страшненькая. Но твоя фиолетовая кожа мне нравится. Интересно, ты настолько же подла и бесстрашна, насколько безобразна, или нет?

– Да, мой господин. Я такая, – подтвердила Нина.

– Тогда поднимись и иди сюда. Сейчас увидим, какая ты храбрая, – хмыкнул Маг, подергивая хвостик черных волос на подбородке.

Девочка уверенно шагнула в комнату и чуть не задохнулась от кошмарной вони. На лабораторном столе вместе со стопками книг лежали препарированные кошки, на люстре висели дохлые голуби, в очень тесной клетке сидела белка, еще живая. На одной из стен была огромная фотография, запечатлевшая убийство несчастного тюлененка, на другой – карта звездного неба, изображения планет, рисунки странных животных, чертежи каких-то инструментов и приборов. На двух гигантских пергаментах были надписи на латыни: Magister (Учитель), Magus (Маг), Potens (Всемогущий), Infinitus (Бессмертный). Рядом с макетом межпланетного корабля Нина увидела фотографии своего деда Миши и Бирова, перечеркнутые крест-накрест, и надпись над ними *«Умершие на Земле – Затерявшиеся на Ксораксе»*.

Девочка вздрогнула: фотографии и особенно эти слова привели ее в замешательство. Дедушка и писатель затерялись на Ксораксе? Как это понимать? Ведь этого не может быть, все знают, что они умерли здесь. Были же похороны, и дедушку похоронили рядом с княгиней Эспасией. Да, но тело дедушки... ни Люба, ни Нина его не видели. «Но ведь эти слова что-то означают?» – терялась в догадках Нина, однако в следующее мгновение приказала себе не отвлекаться и сосредоточиться на Карконе и цели своего прихода.

Она посмотрела в глубину комнаты и около окна увидела тигель, подобный тому, что стоял в лаборатории деда. Над ним висело облачко пара. Она подошла поближе и заметила, что в нем булькает жутко воняющая смесь масел и минералов. Пламя под тиглем было не очень сильным, но в

комнате было так жарко, что маленькие восковые статуэтки, изображавшие идолов острова Пасхи, оплавились от высокой температуры.

«Статуи острова Пасхи? Зачем они Каркону? Может, это как-то связано с Шестой Луной?» – подумала девочка, ошеломленная увиденным.

На комоде среди бутылок и пузырьков она увидела странный меч. Он был в форме параллелепипеда, сделан из прозрачного фиолетового материала, на его конце было нечто напоминающее антенну, на рукоятке – три буквы К.

«Это, наверное, и есть Пандемон Морталис!..» – Нина почувствовала, как у нее перехватило дыхание: она нашла мощное оружие Мага!

– Проходи дальше, маленький монстр, – сказал Каркон. – А сейчас открой клетку и возьми в руки белку. Ты должна задушить ее своими руками. Сделай это, и я возьму тебя в ученицы.

Нине стало плохо. Хотя эликсир негодяйства еще давал эффект, но она чувствовала, что не сможет убить этого бедного зверька. Девочка медленно открыла клетку и достала из нее белку, которая была чуть жива и так худа, словно ее не кормили несколько недель, а в ее глазах читалось желание умереть как можно скорее. Она положила зверька на стол, между дымящимся тиглем и колдовским мечом.

Каркон, сидя в мраморном кресле, похожем на трон, ухмыляясь, наблюдал за ее движениями. Нина набралась храбрости и выпустила белку из рук, а белка, поняв, что она не в клетке, сделала несколько прыжков и оказалась на шкафу. Маг вскочил с кресла и, подняв руки к потолку, рассерженно закричал:

– Проклятая безрукая ведьма, я тебя сейчас проучу!

Нина не растерялась, схватила тигель за ручку, сдернула его с огня и плеснула жидким варевом прямо в лицо Каркона с криком:

– Вот чего ты заслуживаешь, дьявол! Ты убил моего дедушку Мишу и Бирова. Грязный убийца!

Маг верещал как безумный, боль на ошпаренном лице и большой части тела была нестерпима, он скакал по комнате, срывал тряпки, которыми были обернуты трупики мертвых животных, и пытался стереть ими липкую жидкость. Воспользовавшись этим, Нина схватила меч и начала отсчитывать десять секунд.

Весь в ожогах, обессилевший Каркон упал на пол, взывая о помощи:

– Вишиоло! Вишиолоооо, помоги мне!

...Семь, восемь, девять, десять секунд прошли. Ура! Ей удалось это!

Перепрыгнув через лежащего Каркона, девочка выбежала из комнаты с Пандемоном в руках. В коридоре она чуть не налетела на Алвиза и Барбессу, спешивших на помощь своему учителю. За ними несся Вишиоло, сжимая в руке вилы.

Трое против одного. Не слишком ли много для одной?

– Негодяйка! Так ты отплатила за гостеприимство! – в гневе воскликнул Одноглазый. – Сейчас я наколю тебя на вилы и поджарю на углях!

У близнецов от ярости изо рта шла пена.

– Брось Пандемон! Это святой меч. Если не бросишь, мы свернем тебе шею!

Каркон, который корчился на полу от боли, поспешил приказать им:

– Схватите ее, это Нина, внучка Миши. Убейте ее!!!

Девочка направила колдовской меч на троицу, но как он действует, она не знала. Тогда она попыталась достать из кармана Талдом Люкс, но вспомнила, что Книга не велела пользоваться им при первой встрече со Злом!

Барбесса ударила ее кулаком прямо в нос, а Алвиз пнул ногой в живот. Нина отлетела к стене, прижалась к ней спиной и приготовилась к нападению, похожая на разъяренного зверька.

Высоко подняв вилы, Вишиоло несся к ней по коридору, но, когда был уже в нескольких шагах от Нины, вдруг рухнул на пол, перекувырнувшись несколько раз.

Это белка, храбро бросившись ему под ноги, заставила его упасть.

Алвиз нагнулся, чтобы поднять выпавшие вилы, а Нина молнией понеслась по коридору к выходу, за ней мчалась Барбесса с криком:

– Тебе конец! Сейчас мы тебя убьем!

Нина, чудом не сломав себе шею, слетела с лестницы и через мгновение была уже во дворе. Внезапно во всех окнах дворца вспыхнул свет, и детские лица высунулись поглядеть, что там происходит. Она подняла глаза и заметила, что большая часть этих де... О Боже! это невозможно... это были не дети!!! Андроиды! Да, андроиды, некоторые с механическими руками, другие – с хорошо видными металлическими шарнирами. На маленькой террасе, выходившей во двор, она увидела еще троих: верзилу Гастило, худющую Ирену и толстуху Сабину, приводящих в рабочее состояние части своих тел: парень поворачивал голову на 360 градусов, а две подруги подкручивали глаза, чтобы лучше видеть.

В ужасе Нина пулей полетела к выходу на улицу, за ней неотступно следовали близнецы. Они уже были совсем рядом. Чтобы избавиться от них, Нина подбросила в воздух Пандемон. У нее не оставалось иного выхода.

Алвиз и Барбесса остановились как вкопанные, глядя на падающий меч, затем бросились ловить его. Этим Нина выиграла время, достаточное, чтобы снять цепочку, открыть тяжелую калитку и выскочить на улицу.

– Нина, Нина, сюда, быстро! – закричали ребята, ожидавшие снаружи.

– Ты это сделала! Сейчас только 23.15. А где Пандемон? Ты не взяла его? – засыпал ее вопросами Ческо, обнимая за плечи.

Нина чувствовала, что силы ее на исходе: дыхание становилось все тяжелее, голова кружилась, ноги слабели.

– Да, я его держала... Пандемон... Но потом была вынуждена бросить, иначе они бы меня схватили. Я ранила Каркона, вылила на него котел с кипящим маслом. Теперь для нас настанут трудные времена: он будет мстить.

– Молодец! Ты поступила мужественно. Никто прежде не бросал вызов Каркону. Вот увидишь, мы его победим!

Слова Ческо подбодрили Нину, она закрыла глаза и сказала:

– Действие микстуры заканчивается. Быстрее отведите меня на виллу.

Цвет ее кожи постепенно возвращался к нормальному, бледно-розовому, глаза становились все больше и голубели. Додо и Ческо подхватили ее на руки, перенесли в лодку, стоящую у стенки канала, прыгнули в нее сами, и Рокси, включив мотор, повела лодку к лагуне. Алвиз и Барбесса побежали вдоль берега, потрясая Пандемоном и яростно крича:

– Мы до вас доберемся, вы дорого за все заплатите. Вам от нас не уйти!

Лодка резала волны, брызги летели на ребят, которые считали минуты до прибытия на виллу. Капли воды омывали лицо Нины, становящееся с каждым мгновением все больше похожим на ее прежнее лицо. Девочку беспокоило только одно: успеть, успеть во что бы то ни стало! Она посмотрела на ладонь и... о чудо!

– Звезда стала огромной и черной. Скорее, скорее, мне надо срочно попасть в лабораторию, иначе я не успею открыть люк!

Фьоре и Додо успокоили ее: до цели осталось всего ничего.

Пересекать широкий канал, разделяющий Сан-Марко и Джудекку, было достаточно опасно, здесь часто проходили большие рейсовые пароходы и танкеры, туда-сюда сновали катера, но, к счастью, в этот июньский вечер движения почти не было.

Рокси держалась молодцом: мотор работал ровно, лодка шла быстро; наконец, замедлив ход, она направила лодку в узкий канальчик, заглушила мотор, чтобы не побеспокоить Любу и Карло, и причалила у входа на виллу

«Эспасия». До полуночи оставалось несколько минут, и Нина, чувствуя, что микстура практически закончила свое действие, молила Бога, чтобы звезда вновь не стала маленькой и красной. Додо и Ческо, взяв Нину на руки, понесли ее на виллу. Рокси и Фьоре следовали за ними. Входная дверь была полуоткрыта, как ее оставила Нина, и ребята вошли, стараясь ступать тихо. Фьоре подсвечивала путь электрическим фонариком до самого Зала Дожа, где Нина, встав на ноги, взяла у друзей оставленные ею магические предметы и с шаром в руке направилась в лабораторию, попросив всех подождать в зале.

– Располагайтесь и отдыхайте. Зажгите лампу на столе. И прошу, ничего не трогайте до моего возвращения, – сказала она, прежде чем закрыть за собой дверь лаборатории.

Родимое пятно было абсолютно черным. Нина взяла ключ со звездой и вставила его в щель на крышке люка. Один... два... три щелчка и... открылась только одна половинка люка.

Нина попыталась открыть вторую, но та не поддавалась. Обескураженная и уставшая, она посмотрела на Книгу, глубоко вздохнула, положила руку на страницу и спросила:

– Книга, звезда черная, ключ подошел, но люк не открывается. Почему?

Произнеси «Куос Би Лос»,
И люк откроется.
Но в туннель ты сможешь попасть
Только после того, как поймешь,
Что написано в черной тетради.

Часы в лаборатории показывали полночь, время вышло, но звезда все еще оставалась черной. Нина склонилась над люком и произнесла:

– Куос Би Лос.

На этот раз вторая половинка люка незамедлительно открылась, и девочка увидела лестницу. Кто знает, куда она вела. Нина положила руки на обе половинки люка, закрыла глаза и довольно улыбнулась: ей вовремя удалось решить еще одну задачу. Теперь надо взять черную тетрадь деда, азбуку Шестой Луны и перевести в ней все зашифрованные тексты, после чего она может позволить себе спуститься в туннель.

«Туннель, туннель, куда ты ведешь? В подземелье виллы? В тайное убежище дедушки?» Как обычно, куча вопросов без ответов. «Боже, меня же ждут ребята!» – вспомнила она, вскочила на ноги, вставила шар в углубление, и дверь лаборатории открылась.

Ческо и Рокси бросились к ней.

– Ну что, удалось? С тобой все в порядке? Мы страшно волновались!

– Да, все в порядке. Я открыла люк, но пока не могу спуститься в него. Сначала я должна перевести все записи в тетради деда. Завтра я этим займусь. А сейчас спасибо вам. Спасибо за все. И особенно тебе, Рокси, – сказала Нина, обнимая ее. – Если бы ты так здорово не управилась с лодкой, я бы не успела.

Фьоре попыталась заглянуть в лабораторию, однако Нина остановила ее, вежливо, но решительно отодвинув от двери:

– Нет, не сейчас... Может, очень скоро сюда войдете и вы, но сейчас пока рано. Вы еще не готовы. Потерпите немного. Я должна разрешить несколько проблем в одиночку. А потом... Вы же знаете, наша цель – защитить Ксоракс, а это, как я начинаю понимать, дело нелегкое.

Нине не очень нравилось говорить такое своим друзьям, но она не решалась слишком поспешно вводить их в мир магии и алхимии, о котором они почти не имели представления.

Зевок Додо был таким заразительным, что зевать начали все остальные. Была глубокая ночь, и все мечтали поскорее забраться в постель. Правда, Нина побаивалась оставаться одна: а вдруг Каркон и его зловредные воспитанники нагрянут на виллу!

– Послушайте, я знаю, что уже поздно и все мы хотим спать, однако мне нужно сказать вам еще две вещи. Первая: в этом сиротском приюте живут не дети, это андроиды, вероятно, сконструированные самим Карконом, который использует их для своих отвратительных целей. И вторая: Каркон обязательно будет мстить нам за то, что случилось, поэтому мы все в опасности.

– Андроиды? – воскликнула Фьоре. – С ума сойти! Они с виду совсем как живые. Как только подумаю, что Алвиз и Барбесса – роботы, у меня мурашки по коже бегают.

– Каркон – самый настоящий сумасшедший, необходимо остановить его. Теперь нам надо разработать детальный план, как обезвредить андроидов, – добавил Ческо.

– Но... но... но как мы сможем это сделать? – засомневался Додо.

Нина сидела с серьезным лицом.

– Необходимо понять, как Каркон производит своих роботов. Я еще не уверена, но подозреваю, что он использует тела настоящих детей. Князь – алхимик и могущественный маг и наверняка знает формулы и соответствующие механические операции. Мы должны завладеть его секретами... Я уверена, нам это удастся. А сейчас пойдем спать, мы и так сделали много за сегодняшний вечер.

Ребята покинули виллу, а Нина поднялась в свою комнату. Перед дверью она обнаружила поднос, оставленный ей Любой, на нем – тарелку с остывшей жареной картошкой и артишоковым пюре. Девочка вспомнила о бурде, которую ей пришлось съесть в приюте... и у нее пропало желание есть, даже запах еды был невыносим. Она тут же спустила все в унитаз.

Нина похлопала по лицу мокрыми ладошками и направилась к постели, прихватив по дороге Платона. Укрывшись одеялом, она долго не спала, размышляя над тревожной фразой, прочитанной в комнате Каркона. Дедушка действительно умер или находится где-то там, на Шестой Луне, вместе с Бировым? Действительно ли Каркон убил их? За какими тайнами Ксоракса охотится Каркон?..

Но вскоре под кошачье мурлыканье она уснула...

Глава шестая

Черная тетрадь и Акуэо Профундис

– Просыпайся, соня, уже девять часов. Пришло сообщение из школы. Они согласились с твоим переходом и назначили экзамены на 2 июля.

Этим утром Люба не казалась такой любезной, как обычно, напротив, была немного сердита и имела на это причины: Нина никогда не соблюдала время обеда и ужина и до сих пор не нашла даже минуты попить чайку вместе со своей няней.

– Ты проводишь слишком много времени в лаборатории. Неизвестно, чем ты там занимаешься. Меня это очень беспокоит.

Нина как можно ласковее улыбнулась ей и чмокнула в пухлую щечку.

– Готовлюсь к экзаменам, милая Безе, чтобы перейти в следующий класс с одними пятерками!

Нина выпрыгнула из постели, мгновенно натянула джинсы, майку, причесалась и с Платоном под мышкой спустилась в лабораторию. Сегодня ей предстоит важное дело: она должна как можно быстрее перевести черную тетрадь.

На лабораторном столе, рядом с говорящей Книгой, лежал алфавит Шестой Луны. Она открыла тетрадь и принялась за работу. «Десять страниц – не так уж и много. Я должна закончить все сегодня, а потом спуститься в туннель и понять, куда он ведет», – подумала она.

В этой маленькой черной тетрадке с золотым обрезом заключалась вся собранная профессором Мишей информация о Шестой Луне. Свои записи он вел в течение многих лет непрерывных исследований. Их содержание Михаил Мезинский обсуждал только с Бирианом Бировым, который помог ему определить местонахождение Галактики Алхимидия и скрыть свои открытия от алчного Каркона, который спал и видел, как завладеть Ксораксом, чтобы стать самым могущественным Черным Волшебником во всей Магической Вселенной.

Миша и Биров умерли при загадочных обстоятельствах, никто не видел их тел, а существование Ксоракса было окружено столькими тайнами. И теперь важные для всего человечества знания оказались в руках девочки, в руках Нины.

На первой странице черной тетради содержались записи, которые Нина перевела без особого труда. В них излагалась история Галактики Алхимидия, описывалось появление Ксоракса, а также упоминались четыре базовых элемента, из которых состоит Вселенная: вода, земля, огонь и воздух. Каждая запись сопровождалась строчкой цифр – своего рода кодом, но как пользоваться им, Нина пока еще не знала.

На второй, третьей, четвертой, пятой, шестой и седьмой страницах помещались в общей сложности двадцать разделов, каждый из которых раскрывал Нине секреты алхимии и вел к познанию тайн Магической Вселенной и всех ее чудес. Загадка Ксоракса открывалась постепенно.

Стрелки на часах в лаборатории бежали быстро, время шло, но девочка была так увлечена, что не ощущала ни голода, ни жажды.

– Металлы и их магические свойства, объяснение того, как они возникают и действуют, – шептала она себе под нос содержание очередного раздела и переводила список металлов и минералов, таких, как серебро, философское золото, медь, сурьма, кварц, летучее олово, голубая камедь...

– Необычайно! Клянусь всем шоколадом мира, это фантастика! – Глаза Нины сияли от счастья. Усталая, но довольная своей работой, она с нежностью смотрела на говорящую Книгу, символы ксораксианской азбуки и перевод первых страниц, который ей удалось сделать почти за шесть часов работы. Стрелки на циферблате показывали 15 часов 8 минут и 6 секунд. Она вчитывалась в алхимические формулы и описания их магических эффектов. Они приводили ее в восторг. Благодаря алхимии Ксоракса она сможет делать удивительные вещи: менять облик человека, блокировать в душе злые помыслы, вызывать мнимую смерть, галлюцинации и способность предсказывать...

Нина еще раз просмотрела переведенные страницы, пытаясь понять, что же могут значить числа над каждой фразой. Попивая фруктовый сок, она пролистала последние страницы тетради: восьмую, девятую и десятую. На десятой была только одна запись: «Летать, чтобы жить», тогда как на двух предшествующих говорилось об уникальных цветах и растениях с магическими свойствами и необыкновенных животных, живущих на Ксораксе.

«Сбаккио похож на огромную коробочку хлопка и пускает мыльные пузыри, когда счастлив... Куаскио – рыба. Есть Ондула – бабочка с человеческим лицом, и Тинтиннио – странное животное в форме колокола, которое звенит «тин-тин-тин» при ходьбе. Все-таки симпатичные эти животные с Ксоракса! К тому же они магические и могут помочь разрешить кучу проблем», – размышляла она, пробегая глазами написанное.

Чем больше Нина читала, тем увереннее себя чувствовала. И когда дошла до волшебной птицы Гуги, она на секунду остановилась и погладила эту страничку черной тетради, наконец-то поняв, что она из себя представляет и какими свойствами обладает.

Растения Шестой Луны поражали воображение. Нину особенно удивила фусталла – огромный цветок с голубыми листьями, которые позволяют летать двадцать четыре часа; мисиль – с маленькими красными цветочками, с помощью которых можно проникать в прошлое, и еще один цветок, от одного вида которого тянуло плеваться, – скиффио, – и от него можно было даже умереть...

Восторгу Нины не было границ. Она почти закончила перевод и открыла для себя многие тайны, оставленные ей дедом. Вот и последняя строчка страницы, где дед пишет, что ей необходимо искать и другие алхимические формулы.

– Я их найду, дедушка. Я обещаю! – воскликнула девочка, наконец отрывая глаза от черной тетради.

От усталости у нее горели глаза, спина разваливалась на куски. Она подняла руки вверх, потрясла ими, покрутила шеей. Еще немного, и она закончит работу, осталось перевести девятую страницу. А дальше ее ждет открытый люк и туннель... Вход в неизвестное.

На девятой странице подробно описывались цвета Шестой Луны, завершалось все рисунком Талдома Люкс и его кратким описанием. В этом месте Нина вскричала:

– Наконец-то я смогу узнать, для чего служит этот жезл, который мне оставил дед. Ага, вот... Он изготовлен из философского золота, с головой птицы Гуги, с глазами из гоазила. Гоазил? Ах да, это драгоценный магический камень красного цвета, который существует только на Ксораксе. Глаза испускают ослепительный луч, который может быть смертельным. Талдом Люкс – это волшебный Меч Белых Магов и обладает безграничными возможностями, включая даже те, что пока никому не дано представить.

Выходит, что Талдом Люкс – основной инструмент, позволяющий познать Ксоракс. Этот вывод был для Нины самым важным, поскольку война с Карконом обещала быть жестокой. Черный Маг, владеющий Пандемоном Морталис, против Миши с Талдомом Люкс. Теперь, когда она обладала Знанием, Нину мучил вопрос, почему жезл Шестой Луны не смог защитить деда от Зла.

Перевернув последнюю страницу тетради, Нина решила немедленно открыть люк и спуститься в туннель, поставив этим точку в работе дня. К тому же она спешила, Каркон наверняка готовит что-нибудь ужасное для нее и ее друзей.

Она встала на колени у крышки люка, остававшейся полуоткрытой со вчерашнего вечера и, прижав тетрадь к груди, произнесла магическое заклинание:

– Куос Би Лос.

Вторая половинка люка открылась, говорящая Книга, лежавшая на столе, неожиданно осветилась сама по себе, и воздух в комнате вдруг стал сначала очень горячим, а затем сменился на ледяной. Нина не отрываясь смотрела на Книгу, над ней поднялось зеленое облачко, которое прямо на глазах трансформировалось в надпись:

Войди в туннель,
Взойди на то, что бежит само,

Возьми с собой Кольцо Дыма,
И Акуэо Профундис
Станет твоим.

Студеный ветер исчез внезапно, как и появился, и температура в лаборатории пришла в норму. Зеленое облачко растворилось в воздухе, и Книга снова беззвучно закрылась.

Нина широко распахнутыми глазами посмотрела по сторонам, словно ожидая еще какого-нибудь волшебства, глубоко вздохнула и воскликнула:

– Акуэо Профундис? А это что такое?

Надев на большой палец левой руки Кольцо Дыма, девочка стала вспоминать магические слова, которые надо произносить в то время, пока действует кольцо. Затем она послала воздушный поцелуй говорящей Книге за помощь и стала спускаться в люк.

Конечно же у страха глаза велики, но любопытство – сильнее. Чем ниже Нина спускалась, тем темнее становилось. Она все больше погружалась во тьму, время от времени поднимая голову к отверстию люка, которое становилось все меньше. На сотой ступеньке девочка поняла, что достигла цели. Под ногами она почувствовала бетонную плиту и увидела длиннющий туннель, слабо освещенный маленькими настенными светильниками. Спра-

ва от себя она увидела большую вагонетку, вроде тех, что используют в шахтах, а рядом на стене – рычаг.

Вагонетка стояла на узких рельсах, уходивших в глубину туннеля. Нина забралась в вагонетку и увидела в ней металлическую пыль и несколько камней. Наверное, осталось от того материала, который дедушка куда-то, кто знает куда, отвозил. Бесстрашно она повернула рычаг и... полетела – оригинальное транспортное средство работало великолепно. Со скоростью ракеты вагонетка мгновенно домчалась до конца туннеля, преодолев почти два километра менее чем за десять секунд! Толчок, и она остановилась перед стеной из массивного каменного блока, перегораживающей туннель. Выпрыгнув из вагонетки, еще под впечатлением от сумасшедшей гонки, Нина оглядела стену высотой метров десять. Внизу она увидела в стене углубление, точно копировавшее по форме Кольцо Дыма.

Она приложила кольцо к углублению, глубоко вдохнула и произнесла фразу, которую ей подсказала Книга несколько дней назад, когда она вошла в Зеркальную Комнату:

– Дух Колец, открой путь зеленому взору. Дух Колец, выпусти стрелу, которая разрушит камень. Дух Колец, сотвори гармонию, которая позволит мне улететь отсюда.

И тут же из глубины туннеля показалась длинная тонкая стрела, нацеленная прямо в круг, начертанный на стене. Одновременно из изумруда на Кольце повалил дым, который распластался по поверхности камня. Откуда-то полились звуки арфы, скрипок и мелодичного колокола. Когда же дым рассеялся, камня словно и не бывало.

А перед взором Нины возникла удивительная картина: огромное помещение в форме куба со стеклянными стенами, за которыми были вода, разнообразные подводные растения, морские ежи, разноцветные рыбы и маленькие медузы.

«Я на дне морском! Клянусь всем шоколадом мира! Или мне это снится?»

Выходит, дедушка построил суперсекретную лабораторию на дне лагуны. Это, наверное, и есть Акуэо Профундис, место, где профессор Миша проводил алхимические испытания формул Шестой Луны. Сверху никто не мог увидеть это замечательное сооружение, потому что стекло потолка было зеркальным и отражало любые взгляды.

Нина осторожно вошла в стеклянный куб и с любопытством осмотрелась. У одной стены стоял длинный стол из белого дерева, заваленный бумагами, заставленный пробирками, колбами, перегонными кубами. В центре комнаты был большой компьютер, соединенный со странным черным аппаратом, испускавшим прерывистые лучи, с многочисленными рычагами и рукоятками разных размеров. Слева от стола в кабинке, напоминавшей душевую, стояло очень большое кресло, похожее на стеклянный трон. На противоположной стене висела карта Вселенной, а рядом – карта поменьше, Шестой Луны. Над ними располагались часы, аналогичные тем, что висели в лаборатории на вилле, а над столом – множество маленьких листков с цифрами, знаками и символами.

В углу, за белой занавеской Нина увидела человеческую тень и от испуга отпрянула, крикнув:

– Ты кто? Уходи отсюда сейчас же!

Тень не двигалась. Нина осторожно приблизилась:

– Ты кто? Отвечай!

Никакой реакции. Тень оставалась неподвижной.

Набравшись храбрости, девочка отдернула занавеску и увидела андроида в человеческий рост.

– Ааааааааааааа, помогитеееее! – закричала Нина.

Но даже ее крик не заставил андроида пошевелиться. Очевидно, робот был просто не включен. Девочка потрогала его рукой: он был холодным и гладким. На лице андроида застыло доброе выражение, и вообще он казался симпатичным. Вместо ушей у него было два колокольчика, ноги и руки пропорциональны, а на груди, точно в центре, среди погасших лампочек и цветных кнопок красовалась надпись: Макс 10-п1.

«Это, наверное, его имя, – подумала она. – Но как включается эта штуковина? Как мне его оживить?»

Нина была поражена всем увиденным в подводной лаборатории деда. Она смотрела на андроида, на Акуэо Профундис, и ей казалось, что все это сон.

Помещение, созданное с такой изобретательностью на дне моря, походило на самую совершенную алхимическую лабораторию, какую можно только себе представить. Информатика, электроника, самые передовые технологии были адаптированы под требования алхимии. Алхимия ее деда была приближена к научным исследованиям, и это явилось для Нины большим сюрпризом.

Макс 10-п1 по-прежнему не двигался, и девочка не могла оторвать от него глаз, думая о детях-андроидах Каркона и о том, как она сможет противостоять им. Если бы удалось включить Макса, он наверняка бы помог ей. Но как это сделать? А не будет ли это опасно для нее самой? А что, если он выйдет из-под ее контроля? Ведь она находится на дне лагуны, здесь негде укрыться, и ошибка может стоить ей очень дорого.

Легкое потрескивание в одном из углов лаборатории отвлекло ее от потока мыслей.

Нина обернулась и к огромной радости увидела, как заполыхал огонь в маленьком камине. Тут же возникло ощущение домашнего уюта. Однако странно: дыма не было, значит, где-то должна быть труба, выходящая на поверхность.

Нина подошла к камину и обнаружила, что горит не дерево: языками пламени вспыхивают большие посеребренные камни, они же и поглощают образующийся дым. Перед камином стояли обычный тигель для нагревания алхимических смесей и пара корзин с минералами и драгоценными камнями.

Взгляд Нины привлекла книга, лежащая на маленьком круглом столике, на переплете которой было написано *«Дороги Мира»*.

Девочка начала листать ее. В ней рассказывалось о загадочных статуях острова Пасхи, и она сразу же вспомнила, что видела фотографии этих статуй в лаборатории Каркона.

«Остров Пасхи... загадка этих статуй так до сегодняшнего дня и не раскрыта. Археологи и ученые всего мира пытались докопаться, откуда появились на острове эти странные фигуры, но никто так и не смог дать убедительного ответа», – подумала девочка.

Она продолжала листать книгу и увидела, что в ней есть главы, посвященные пирамидам Египта, народам майя и инки, другим древним цивилизациям.

«Но что общего имеют эти народы, жившие много веков назад, с Ксораксом? – спрашивала она себя со все возрастающим любопытством. Наверняка должна существовать какая-то связь! Еще одна загадка, которую надо разгадать, еще одна тайна, ждущая открытия. Нина не прекращала удивляться: эта лаборатория была полна всяких неожиданных диковинок.

Часы показали 20.30, и она хлопнула по лбу ладонью:

– Я опять опаздываю! Люба выйдет из себя. А вдруг меня разыскивают мои друзья? Нужно быстро возвращаться на виллу.

По правде говоря, ей не очень хотелось возвращаться: уж очень не терпелось взяться за работу и попытаться запустить эти странные аппараты и Макса, но времени для этого не было. Нина бросила последний взгляд на андроида, задернула занавеску и направилась к выходу. Как только она вышла, снова зазвучала музыка, и камень вернулся на место. Девочка забралась в вагонетку и через мгновение была уже дома. По лестнице она поднялась в лабораторию виллы. Понадобилось всего несколько минут, чтобы из мира непознанного Акуэо Профундис переместиться в привычную реальность.

Плотно закрыв створки люка, Нина положила все магические предметы и бесценную черную тетрадь и поспешила к Любе. Выйдя за дверь лаборатории, она столкнулась с ней нос к носу. Словно та ждала, когда девочка покинет комнату, чтобы устроить ей головомойку.

– Ага, наконец-то ты вылезла наружу! Ты знаешь, который сейчас час? Ты что, объявила голодовку? Можно поинтересоваться, что мне с тобой делать?

Русская няня была действительно рассержена.

– Извини, Безе. Поверь, у меня было так много дел. А сейчас я пойду с тобой на кухню, и мы вместе чего-нибудь съедим, хорошо? – Она взяла няню за руку и потащила ее за собой.

Вечер они закончили, болтая и хохоча, как две подружки. Красавчик терзал Любин фартук, а Платон с усами погрузился в миску с молоком.

Нина впервые после приезда казалась обычной беззаботной девчонкой, общалась с любимой няней и играла со своими животными. Девочка радовалась еще и потому, что ей удалось выиграть первое сражение с Карконом. У нее в руках появилось очень сильное оружие: алхимия Шестой Луны и необъятные возможности Акуэо Профундис.

Глава седьмая

Месть Каркона

Было два часа пополудни, и жара давала о себе знать. Все окна Апельсинового Зала были распахнуты, и из парка влетал легкий ветерок, шевеливший занавеси. Рокси облизывала клубничное мороженое, Додо свернулся калачиком на диване и грыз ногти, Фьоре приглаживала вихры, а Ческо стоял рядом с портретом княгини Эспасии, и все они с интересом слушали рассказ Нины. Она, с черной тетрадью в одной руке и листками перевода в другой, объясняла им смысл некоторых алхимических формул и свойства магических эликсиров и препаратов. Но самая интересная часть ее рассказа была посвящена Шестой Луне, ее жителям из света, растениям и животным странных форм и необыкновенных способностей.

– Ты сама-то веришь в то, что Ксоракс действительно существует?

Вопрос Фьоре прервал речь Нины, заставив ее нахмуриться и, недоумевая, уставиться на девочку:

– Конечно, верю. Иначе какой смысл в том, что мы сейчас делаем?

Маленькая алхимичка закончила свое повествование, рассказав об Акуэо Профундис и Максе 10-п1. Факт существования тайной лаборатории на дне лагуны вызвал восторг у ребят, которые сразу же запросились туда. Ческо, настоящий фанат компьютеров, сказал, что, кажется, знает, как привести в действие спящего андроида.

– Ладно, я отведу вас вниз, – сказала Нина. – Но вы должны мне обещать, что не будете ничего трогать без моего разрешения.

Она передала им листочки с алхимическими формулами Ксоракса и велела выучить наизусть. Фьоре принялась повторять вслух имена животных Шестой Луны, Рокси пыталась запомнить названия металлов и драгоценных камней, а Додо не удавалось понять практически ничего из написанного Ниной.

Платон быстро пробежал между ног Нины и прыгнул ей на руки. Шерсть его стояла дыбом, и он беспрерывно мяукал.

– Они его схватили, я их видел. Они сунули его в большой мешок. Их было пятеро, и они исчезли! – С этими словами садовник вбежал в зал.

Поднос со стаканами апельсинового сока выпал из рук Любы, и они раскатились по полу. Нина взволнованно спросила:

– Кого они схватили?

– Красавчика. Хулиганы Каркона украли собаку, – чуть не плача, ответил Карло.

– Пошли, ребята. Мы должны спасти собаку, – вскочила Рокси.

Нина остановила ее, сказав Любе и Карло, чтобы те тоже успокоились, так как скоро проблема решится, и позвала ребят за собой. Они вошли в Зал Дожа, и Нина открыла дверь в лабораторию.

– Сейчас молчите и не задавайте вопросов, – строго сказала она. – Даже если не будете понимать, что я делаю, ни о чем не спрашивайте. И пожалуйста, ничего не трогайте руками, если я сама вас не попрошу.

Все кивнули в знак согласия и вошли в лабораторию Миши. Нина попросила еще раз соблюдать тишину, открыла говорящую Книгу и задала вопрос:

– Книга, со мной четверо моих друзей. Мне нужна помощь. Андроиды Каркона похитили Красавчика. Скажи, что я должна сделать?

Жидкая страница осветилась, и появилась надпись:

Я должна осветить лучом четыре жизни,
Прежде чем помочь.
Ты должна подарить четыре рубина,
Прежде чем сможешь спасти.

И Книга закрылась.

Ческо, ни слова не говоря, с ужасом смотрел на Нину. Рокси и Фьоре вжались в стену и уставились на говорящую Книгу широко раскрытыми глазами, Додо трясся от страха.

– Итак, если я все хорошо поняла, вы должны встать сюда, на мое место, перед Книгой, потому что она хочет видеть ваши лица. Затем я дам вам четыре рубина, по одному каждому. Может быть, после этого Книга даст окончательный ответ. Начнем.

Ческо подошел первым и встал точно напротив Книги. Его лицо тут же осветил зеленый луч, исходящий из нее. Ослепленный вспышкой света, он потерял равновесие и отскочил в сторону. Нина успела поддержать его, чтобы он не упал. Потом пришла очередь Рокси и Фьоре. Последним был Додо, который жутко боялся смотреть на Книгу. Ческо и Нина силой подвели его к Книге, и с ним повторилось то же, что и с другими.

После этого, потирая покрасневшие от вспышек глаза, ребята уселись на пол, и Нина протянула каждому по рубину.

– Рубин – магический камень. Вы должны держать его в кармане и никогда не терять, – сказала она, пытаясь подбодрить их улыбкой.

Правда, через несколько секунд все пришли в себя и даже почувствовали некоторый прилив сил. Ребята повеселели и, пожав руку Нине, сказали:

– Мы готовы. Давай дальше, спроси, как мы можем помочь Красавчику.

Нина набрала воздуха в легкие, положила руку на жидкую страницу и задала второй вопрос:

– Книга, скажи, как мы можем спасти Красавчика?

Ослепите врагов,
Огонь Акуэо Профундис
Поможет вам
Приготовить нужный препарат.
Цепи растворятся,
Когда ты используешь Талдом.

– Ослепить врагов? Но чем? – в недоумении спросила Фьоре.

Однако Нина поняла все очень хорошо. Надо спуститься в Акуэо Профундис и подготовить препарат.

– А теперь пошли к люку. Следуйте за мной и не дышите, – скомандовала она, оборачиваясь к друзьям, которые все еще не могли оторвать взгляд от говорящей Книги.

Нина надела Кольцо Дыма на палец, вставила ключ со звездой в отверстие крышки люка, произнесла заклинание, и створки люка рас-

пахнулись. Один за другим они спустились по лестнице. Нина шла последней, держа в руке пакет с компонентами для препарата.

Спустившись в туннель, девочка усадила в вагонетку друзей, потрясенных происходящим с ними, и уселась рядом сама. Затем она повернула рычаг со словами:

– Внимание, ребята, сейчас отъезжаем, держитесь крепче.

Поездка по туннелю была короткой. Когда вагонетка прибыла на место, четверка сидела крепко обнявшись, с закрытыми от страха глазами. Нина приложила кольцо к впадине на камне, пошел дым, зазвучала музыка, из глубины туннеля прилетела стрела, и каменные ворота открылись.

Додо, на мгновение потеряв сознание, упал на пол, Фьоре вцепилась в Ческо, а Рокси не выдержала и закричала. Нина взяла Додо за руку и силой втащила его в стеклянный куб.

– Вот, ребята, это и есть Акуэо Профундис. Добро пожаловать.

– Как здесь чудесно! – воскликнули они хором, включая Додо, уже пришедшего в себя.

– Сколько рыб... и морских ежей... медуз... Фантастика! – восклицала Фьоре.

Ческо направился к компьютеру, а Нина, отдернув занавеску, представила всем Макса.

Ребята так и ахнули.

– Ну а теперь мы должны действовать быстро. Андроида мы разбудим в следующий раз, сейчас же необходимо приготовить препарат, а для этого внимательно прочесть свойства драгоценных камней Шестой Луны. Наверняка найдем что-нибудь, чтобы спасти Красавчика.

Нина принялась за дело, выложив на стол порошки и минералы из принесенного пакета. Открыв странички с переводом записей в черной тетради, она принялась искать формулу нужного средства.

– Так, так, вот оно, я нашла. Надо взять серу, которая ослепляет на несколько часов, код 7471108.

Нина посмотрела на Ческо, который уже включил компьютер.

– Молодец, поздравляю, – сказала она, довольная. – Набери 7471108, и посмотрим, что он нам скажет.

Ческо выполнил команду, лампочки на машине, подключенной к компьютеру, замигали, и через пару секунд на экране появился ряд символов. На языке Шестой Луны.

– Это все формулы, в которых используется сера. Не беспокойтесь, сейчас найдем ту, что нужна нам, – невозмутимо прокомментировала Нина. – Вот она. Я нашла ее! Она не сложная для изготовления, три минуты, и мы можем идти спасать Красавчика.

Она взяла колбу, полную воды Салис, бросила в нее шесть чайных ложек толченой серы, посмотрела на часы и взболтала колбу ровно минуту, потом вылила содержимое в миску, стоявшую на огне, и прогрела жидкость еще две минуты. Над чашкой поднялся желтый пар, смешавшийся с воздухом.

– Вот и все. Сейчас разольем это по четырем бутылочкам, по тем вон, с пульверизаторами, что стоят на шкафу, – сказала Нина, удовлетворенная сделанным.

Рокси достала бутылочки, и Нина медленно разлила по ним жидкость.

– Каждый возьмет по одной, и когда мы встретимся с андроидами Каркона, брызните жидкостью прямо им в лица, а я тем временем воспользуюсь Талдомом. У нас должно все получиться.

Как обычно, возникла проблема с Додо: он боялся положить бутылочку в карман в страхе, что она разобьется. На этот раз Нина потеряла терпение:

– Трус! Ты самый настоящий трус. Прекрати трястись и подумай лучше, как спасти жизнь несчастной собаке. Ты понимаешь, что Каркон ни перед чем не остановится и убьет пса, как он делает это с кошками? Я об этом даже боюсь подумать. Так что пошли с нами, и освободим Красавчика.

Ребята быстро выбрались из Акуэо Профундис и через несколько мгновений уже находились в лаборатории виллы. На циферблате было 16 часов 30 минут и 5 секунд. Нина взяла Талдом и спрятала его в карман, уверенная в себе и готовая к встрече с Черным Магом.

Тем временем во дворце Ка д'Оро разыгрывалась трагедия: Гастило, Ирена и Сабина усыпили несчастного Красавчика в Зале Пыток, а Алвиз и Барбесса связали ему толстой цепью лапы и шею. Пес лежал животом вверх, с закрытыми глазами и открытым ртом.

– Противное животное, сейчас мы немного развлечемся. Увидишь, что с тобой сделает князь Каркон, – ехидно сказала Барбесса, привязывая цепь к кольцу на стене, чтобы быть уверенной, что пес не убежит.

Пес открыл один глаз, затем второй, действие снотворного заканчивалось, он просыпался. Как только он понял, что не может двигаться, то начал лаять и дергаться так сильно, что стол, на котором он лежал, зашатался, словно во время землетрясения.

Гастило схватил тряпку, подкрался к псу, пытаясь засунуть ее в пасть, чтобы тот замолчал, но острые и сильные клыки Красавчика вонзились в резиновую кожу руки андроида.

– Черт возьми! Он порвал мне кожу и два провода, негодяй! – крикнул Гастило, не чувствуя боли.

Андроиды, как известно, не испытывают ни боли, ни других чувств, у них нет ни крови, ни нервов; они – лишь куча электрических проводов.

– Отвали, дурак, – сказала Ирена, стукнув его кулаком по спине. – Иди к Вишиоло, пусть он срочно заменит порванные провода, иначе Каркон устроит тебе взбучку.

Ирена изловчилась и с силой запихнула тряпку в пасть Красавчика, так что пес, вытаращив глаза, был вынужден тяжело дышать носом.

Барбесса поворачивала в огне огромные железные щипцы, Алвиз точил нож, а толстуха Сабина наливала в тазы воду.

Дверь распахнулась, и вошел Каркон в сопровождении Вишиоло. У Мага была яркая повязка на голове, а лицо покрыто толстым слоем зеленого крема. Ожоги, которые он получил из-за Нины, были очень сильными, и боль от них стала почти невыносимой.

– Это, стало быть, собака той злобной девчонки? – загремел Каркон.

– Да, учитель, ее зовут Красавчик, этот дог в добром здравии... по крайней мере, к этому часу, хи-хи-хи-хи! – угодливо ответил Вишиоло.

Маленькие негодяи отошли в сторону, только Барбесса приблизилась к хозяину в ожидании похвалы за свои делишки.

Каркон вынул из кармана четыре маленькие белые мышки, которые испуганно таращились по сторонам. Барбесса взяла их за хвостики, с удовольствием слопала одну, а других передала своим товарищам. Красавчик, наблюдавший эту сцену, испугался еще больше и задергал лапами как сумасшедший, пытаясь освободиться от цепей.

– Смотрите внимательно, это очень важное занятие, – поучительно сказал им Каркон. – Разделывать животное таких размеров – вещь чрезвычайно трудная. Вы увидите, как его сердце будет пульсировать в моих руках.

Месть Каркона была близка к осуществлению: он хотел больно ударить по чувствам внучки Миши. Он понимал, что боль от потери любимого существа потрясет ее и обессилит. Он взял нож из рук Алвиза и посмотрел на живот собаки.

Именно в этот момент у входной двери раздался настойчивый звонок. Недовольный Каркон остановился, а Вишиоло бросился посмотреть, кому там не терпится.

– Кто бы там ни был, гони его взашей. И скорее возвращайся, мне понадобится твоя помощь! – крикнул ему вслед рассерженный Маг.

Одноглазый подбежал к двери, распахнул ее и оказался нос к носу с Рокси, которая не растерялась и брызнула ему ослепляющую жидкость прямо в глаза. Вишиоло схватился руками за лицо и без чувств грохнулся на землю.

– Путь свободен, друзья, входим! – крикнула Рокси остальным.

Как молнии они долетели до Зала Пыток. Первой в него вбежала Нина, сжимая Талдом Люкс.

– Вот и я, Каркон, я готова сразиться с тобой.

Маг резко повернулся и бросил в нее нож, Нина отскочила в сторону, и нож воткнулся в дверной косяк. Рокси брызнула Барбессе в лицо из своей бутылочки, и та стала падать на Додо, однако Рокси пнула ее ногой, отчего та свалилась на пол.

– Вот тебе, мерзкая искусственная кукла!

Каркон извлек на свет Пандемон Морталис и привел его в действие. Из антенны вылетел электрический разряд и попал в плечо Ческо. Нина в свою очередь подняла над головой Талдом, глаза птицы засверкали, и из клюва вырвался мощный луч, ударивший в потолок. Нина направила луч на цепь, которой был связан пес, и та со звоном разлетелась в стороны. Тем временем Фьоре и Рокси распыляли слепящую жидкость на других андроидов, которые как подкошенные падали на пол.

– Ах ты маленькая чума! Сейчас я убью тебя. Ты кончишь так же, как и твой дед! – яростно вскричал Каркон, направляя Пандемон в ее сторону.

Нина повела Талдомом, луч прошелся по ногам Черного Мага, и его башмаки растеклись жидкой кашицей, явив взгляду пальцы с фиолетовыми ногтями. Но Каркон не упал. Он успел выкрикнуть заклинание:

– Пламя гнева, обволоки ее и задуши! – И из его рта вырвалось узкое длинное облако цианида.

– Я не позволю тебе спасти Ксоракс. Шестая Луна будет моей. Пришел твой конец!

Тут из Пандемона вылетели сотни механических летучих мышей и с писком напали на ребят. Красавчик рвался, его лапы были свободны, но еще оставалась цепь на шее. Нина прикрыла Талдомом лицо, защищая его от летучих мышей, а Ческо, несмотря на то что из его плеча текла кровь, бросился на Каркона, ударив того головой в живот. Каркон отлетел к стене и пустил струю цианида в сторону Ческо, но тот зажал пальцами нос, задержал дыхание и спрятался за колонну.

Зал Пыток превратился в кромешный ад: запах цианида не давал дышать, атаки летучих мышей становились все опаснее, по всему полу валялись андроиды, их лица были покрыты едкой пеной, а на месте глаз зияли черные дыры. Серный препарат Нины сделал свое дело.

Чтобы дать Нине время разорвать лучом Талдома цепь, удерживающую собаку, Рокси проскочила у Каркона под самым носом, отвлекая его внимание. Два коротких удара луча – и освободившийся от пут пес, спрыгнув со стола пыток, набросился на Мага и вцепился ему в ногу. Каркон задергался, заорал и, сжав Пандемон, выпустил несколько зарядов наугад, сбив дюжину летучих мышей, носившихся по залу. Одна за другой они разлетались на куски, и из их страшных голов вылетали маленькие язычки пламени, порождаемые коротким замыканием.

– Ребята! Уходим, иначе сбегутся остальные андроиды! – как можно громче крикнула Нина и направилась к входной двери.

За ней бросились ребята и собака.

Но, подбежав к двери, они заметили, что с ними нет Ческо. Рокси поспешно вернулась в зал и нашла его сидящим у одной из колонн. От боли он не мог держаться на ногах.

– У меня болит плечо, я теряю много крови, – прошептал Ческо, тяжело дыша.

Рокси схватила его под мышки и потащила к выходу.

Нина и остальные ждали их уже в лодке. Собрав последние силы, Ческо спустился в лодку и сел между Фьоре и Додо, за ним спрыгнула Рокси и сразу же запустила мотор. Красавчик радостно лизал лицо Нины, протягивая ей лапу в знак благодарности. Напряжение спало, и ребята наконец-то начали улыбаться. Здорово! Они нанесли Каркону еще одно поражение!

Когда они вернулись на виллу, у всех после побоища был жалкий вид. Единственное, о чем они сейчас мечтали, – так это о глотке свежей воды и отдыхе.

Они нашли Карло и Любу на кухне, беззаботно беседующими за кофе.

– Красавчик, Красавчик, иди сюда. Ты спасен! – причитала няня, целуя и гладя пса.

– Где вы его нашли? – спросил удивленный Карло.

Объяснение Нины было кратким:

– Мы пошли забрать его у Каркона. И он, долго не рассуждая, вернул нам его. Правда, после нашего убеждения некоторое время ему будет трудно двигаться.

Ребята засмеялись, услышав эту милую полуправду, которой одарила няню и садовника их подруга.

Прибежавший кот тоже принялся лизать пса в нос. Тот взглянул на кота с удивлением, но великодушно позволил ему и дальше выражать свой восторг.

Ческо внезапно побледнел и откинулся на спинку кресла, острая боль пронзила его раненое плечо. Только сейчас Люба заметила, насколько измученными выглядят ребята, брюки обожжены, башмаки измазаны какой-то гадостью, а майка Ческо в крови.

– Ты ранен? Снимай майку, я сейчас обработаю рану.

– Оставь его, няня. Я сама им займусь. Это пустячное дело, – остановила ее Нина, которой совсем не хотелось объясняться с няней по поводу того, что действительно произошло во дворце Каркона.

– Да, да, это только маленькая царапина, и мне совсем не больно. Сейчас Нина смажет ее йодом, и все пройдет, – подхватил Ческо.

Нина отвела его в свою комнату, а остальные отправились по домам, договорившись встретиться завтра утром.

Девочка смазала рану голубой мазью деда.

– Вот так, теперь кровь остановится, а через пару часов все заживет.

– Послушай, Нина, – сказал Ческо. – На рану мне наплевать. Меня больше беспокоит Каркон. Мы должны приготовиться к его новым вылазкам. Вот увидишь, в следующий раз он попробует причинить нам еще большее зло.

Нина села на кровать, сжала Талдом и сказала:

– Мы будем с ним сражаться. Это наш долг. Чтобы остановить Каркона, мне необходимо изучить заметки дедушки и понять, как

пользоваться оборудованием Акуэо Профундис. И потом, ты помнишь, что у нас есть Макс 10-п1?

– Но как нам защитить Ксоракс? Что для этого нужно сделать?

У Нины не было готовых ответов, но она знала, что работа по защите Ксоракса уже началась и предначертанное остановить невозможно.

– Видишь эту надпись над кроватью? Я сделала ее несколько месяцев назад, когда и не представляла, что окажусь в подобной ситуации. Мой дедушка был еще жив, а я жила в Мадриде у теток. Ческо, я – алхимик, и я уверена, что тайна нашего существования находится во Вселенной, – сказала девочка, беря друга за руку. – Я пойду по стопам деда, а ты и другие ребята мне поможете.

– Алхимия, магия... Но, Нина, мы очень мало знаем об этом, – ответил Ческо.

– Чтобы знать, надо учиться. Ты, Ческо, например, прекрасно разбираешься в компьютерах, а я нет, поэтому без тебя я многого не смогу сделать. Я умею готовить алхимические препараты, использовать свойства металлов и жидкостей, общаться с говорящей Книгой, но без вашей помощи мне не обойтись.

Нина говорила очень убедительно. Отодвинув штору, она показала рукой на небо, освещенное луной и миллиардами звезд. В этом бесконечном пространстве им и предстоит искать ответы.

– Ксоракс, Шестая Луна ждет меня. Я должна лететь туда вслед за моим дедом. Ты понимаешь? – спросила она, стараясь, чтобы Ческо не увидел ее предательски заблестевших глаз.

Ческо опустил голову и воскликнул:

– Конечно, понимаю. Завтра мы спустимся в Акуэо Профундис, и клянусь тебе, я запущу Макса. Каркон не победит нас. Никогда!

Во дворце Каркона готовились к отмщению. Маг укрылся в своей лаборатории залечивать раны и продумывать план ответных действий. Вишиоло не отходил от ведра с водой, промывая единственный глаз, обожженный серой. Оставшиеся невредимыми андроиды помогали ремонтировать тех, что пострадал в схватке: меняли электропроводку, переставляли микрочипы, стараясь сделать работу побыстрее.

«Понадобится не меньше суток, чтобы поставить их на ноги, – подумал Каркон, надевая длинную фиолетовую тунику. – Но через двадцать четыре часа мы будем готовы к мести. На этот раз безмозглая девчонка получит сполна!»

Вдруг в глазах Мага вспыхнул огонь, новая коварная мысль родилась в его голове, и с губ сорвалось имя его любимого андроида, находящегося в этот момент в Испании.

«Ну конечно, пришло его время. Я прикажу ему срочно прибыть в Венецию. Он поможет мне раздобыть секреты из лаборатории профессора Миши».

Каркон включил компьютер и связался с электрической системой андроида, послав приказ: «Выезжай и в течение двадцати четырех часов будь в Венеции. Никого не предупреждай о своем приезде. Я сам найду тебя».

Через несколько секунд импульс попал прямо в мозговую систему андроида, который спал. Тот вздрогнул, мгновенно проснулся, открыл глаза и сел на кровати. Слова Каркона звучали для его ушей прекрасной музыкой. Он уже давно ждал этого послания. На человеческом лице дьявольского робота появилась довольная улыбка, он сжал кулаки, вскочил и начал собираться. Он был готов действовать.

Угроза Каркона становилась реальной. Таинственный и могущественный андроид был призван помешать Нине и ее друзьям осуществить план спасения Шестой Луны. Через сутки жизнь на вилле «Эспасия» могла даже очень осложниться. Нина и ее друзья, магическая Книга и черная тетрадь деда, лаборатория и Акуэо Профундис оказались в большой опасности.

Глава восьмая
Полет на Ксоракс

– Нажмешь на эту кнопку, после чего дернешь за этот рычажок. Я подключу Макса к компьютеру, и андроид должен включиться. По крайней мере, я надеюсь...

Довольно долго Ческо молча разбирался в схеме андроида, а потом дал четкие указания Нине, которой уже не терпелось увидеть Макса ожившим. Утро начиналось очень успешно, двое друзей уже в 9 утра были в Акуэо Профундис. За стеклянными стенами, отгораживающими их от морской жизни, было видно быстрое течение воды и рыбы, которые были чем-то возбуждены и носились туда-сюда. Панорама за стеклом была удивительна, и Ческо иногда отвлекался от дела, чтобы полюбоваться водным миром. Но только на несколько секунд, потому что все его внимание было направлено на компьютер и процесс активации Макса.

По знаку Ческо Нина нажала на белую кнопку на спине андроида и дернула за рычажок на его боку.

Макс резко открыл глаза, повернул голову сначала вправо, затем влево и наконец уставился на ребят, не спускавших с него изумленных глаз.

– Я Макс 10-п1. А вы кто такие? Где пгофессог Миша? – Металлический голос выходил из ритмично двигающихся губ, взгляд был добрым, но слегка рассеянным. У Макса был маленький дефект в произношении некоторых звуков, но это несовершенство делало его еще более симпатичным.

Ческо поднялся и подошел к андроиду, с любопытством разглядывающему мальчика.

– Привет, Макс, я – Ческо, а это Нина, внучка профессора Миши. Миша умер. Его убил Каркон. Ты поможешь нам победить его?

– Убит? Умег? Пгофессога Миши больше нет? Ужасно! Ужасно! Я сейчас заплачу. Макс 10-п1 опечален...

Его голос гулко прозвучал в стеклянном кубе лаборатории, а из глаз серебристого цвета потекли капли воды: андроид действительно плакал! Этот странный робот обладал чувствами и памятью, ощущал боль и вел себя, словно самое настоящее человеческое существо. Рукой он вытер лицо, по которому катились ручейки слез, затем подошел к карте звездного мира и ткнул указательным пальцем правой руки в Ксоракс.

– Здесь покой. Жизнь длится бесконечно, и такие машины с сегдцем, как я, могут находиться сгеди существ из света, не опасаясь ничего. Меня создал пгофессог Миша, он... был мне как отец. Я не могу больше оставаться на Земле. Я хочу вегнуться на Шестую Луну.

Нина обняла его, холодное тело из гладкого металла скрывало добрую и чувствительную душу, горячее сердце, которое любило и страдало.

– Прошу тебя, Макс, выслушай меня. Дед Миша оставил мне много писем, в которых просит защитить Ксоракс. Я должна как можно быстрее полететь на Шестую Луну. Помоги мне. Скажи, что я должна сделать, чтобы это случилось.

Андроид выслушал рассказ маленькой алхимички и понял, что она уже узнала многое о магических свойствах различных материалов и что ей вместе с друзьями удалось несколько раз одержать победу над Карконом.

Максу было что ответить Нине, но он колебался, сомневаясь, сможет ли эта хрупкая на вид девочка выдержать такое опасное испытание, как полет на Шестую Луну. Размышляя над этим, он машинально взял банку с клубничным вареньем и одним глотком проглотил ее содержимое. Варенье было единственной пищей Макса. Без него андроид не мог функционировать и оставаться активным в течение долгих часов.

Нину и Ческо забавляли выражение лица и поведение андроида. Он проворно двигался по лаборатории, знал все аппараты и механизмы, которые поддерживали жизнедеятельность Акуэо Профундис, читал на языке Шестой Луны и умел готовить алхимические препараты. В мозгу Макса 10-п1 хранились все магические и научные знания деда Миши.

– А сейчас оставьте меня одного, я должен думать и габотать. Малышка Нина, звезда на твоей гуке идентична той, что была у пгофессога, и я не имею пгава отказать тебе в помощи. Для того чтобы установить контакт с Ксогаксом, мне понадобятся Талдом Люкс и зуб дгакона.

Макс подошел к компьютеру и набрал цепочку цифр, после чего на экране появилось изображение Ксоракса – таинственной планеты Галактики Алхимидия. Изображение было очень четким, было видно, как Шестая Луна испускает магнетические волны. Планета находилась в коконе яркого изумрудного света, рядом с ней вращались еще две луны и шесть маленьких светящихся звезд. Ребята не отрывали глаз от экрана, не в силах вымолвить ни слова. Макс внимательно посмотрел на них, улыбнулся и объяснил, что изображение Ксоракса такое отличное, поскольку нет никаких метеоритных дождей. Затем он предупредил,

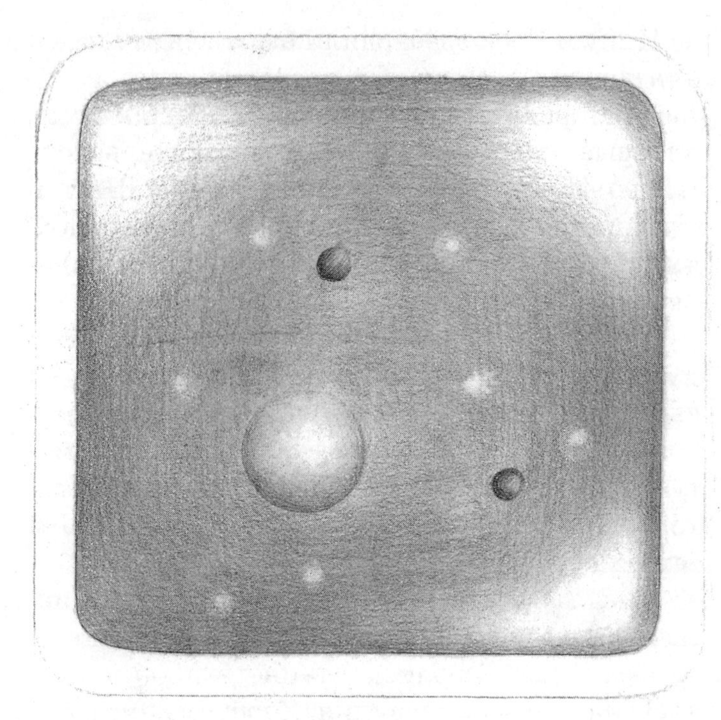

что, прежде чем полететь на Шестую Луну, ребятам необходимо выучить различные математические и магические формулы и самое главное – ничего не бояться. Нина объяснила ему, что полетит лишь она одна. Остальные друзья, включая Ческо, еще не готовы к полету на Ксоракс. Пока не готовы.

– Только Белые Маги могут летать на Ксогакс. Так говогил пгофессог. Эта Луна – место не для всех, – подтвердил Макс, ударив ладонями по столу.

Нина засмеялась и похлопала андроида по плечу.

– Хорошо, Макс. Талдом здесь, со мной, – сказала она, доставая из кармана золотой жезл, – а сейчас я схожу за зубом дракона. Я люблю тебя, Макс.

Андроид смущенно раскланялся, поскрипев шарнирами ног, потом взял ребят под руки, довел их до двери и попросил прийти попозже.

– Ступайте, я должен подготовить аппагатугу и пговегить систему снабжения воздухом. Пгинесите мне клубничного вагенья, я без него ничего не смогу. Я могу есть только его и подзагяжаться от компьютега, чтобы быть активным. Я жду вас обгатно чегез полчаса.

Нина и Ческо вернулись на виллу, оставив Макса с его делами. Нина была удовлетворена и спокойна: теперь у нее был сильный помощник, мыслящий андроид, который поможет ей выстоять против Каркона и найти путь к Шестой Луне.

Нина вошла в лабораторию виллы, взяла из пирамиды зуб дракона и положила его в карман. Затем она отправилась на кухню к Любе и попросила ее купить десяток банок клубничного варенья.

– Клубничного? Но зачем тебе так много? – удивилась няня.

– Милая Безе, не задавай лишних вопросов. Ты же знаешь, как я прожорлива, да и мои друзья без ума от клубничного варенья, – ответила Нина, а Ческо плотно сжал губы, чтобы не расхохотаться.

Люба отправилась за вареньем, и в этот момент в доме появились Рокси, Фьоре и Додо. Когда Ческо рассказал им, что удалось оживить андроида, они от радости захлопали в ладоши.

– Если у нас есть свой андроид, значит, мы сможем победить Каркона и его жутких роботов. Макс наверняка знает, как справляться с другими андроидами! – воскликнула Рокси.

Нина улыбнулась этим словам, хотя не сомневалась, что в следующий раз Каркон вряд ли позволит им так легко отделаться.

– Ребята, Каркон постарается доставить нам большие неприятности. Мы должны быть готовы ко всему. Сейчас я пойду в лабораторию, хочу поговорить с Книгой. Вы же постарайтесь найти план дворца Каркона. Нам необходимо знать самые тайные закоулки этого здания.

Все разошлись по делам, а Нина отправилась в лабораторию деда проконсультироваться с Книгой.

Положив руку на жидкую страницу, она спросила:

– Книга, Макс 10-п1 попросил у меня Талдом Люкс и зуб дракона, чтобы организовать мой полет на Шестую Луну. Что ты посоветуешь взять с собой в это путешествие?

Возьми свое храброе сердце.
Твои ступни коснутся
Изумрудной поверхности,
И запоет Гуги.
Запомни, Время не существует,
Потому что его побеждает Мысль.
Войди в Ничто, и тебе откроется Все.

Слова исчезли, страница погасла, и Книга закрылась. Нина уселась на табурет, потрогала звезду на ладошке, закрыла глаза и стала думать про деда и его смерть, про пакости Каркона и красоту Шестой Луны. Она крутила в пальцах зуб дракона, смотрела на огонь в камине, на сотни ампул и колб с разноцветным содержимым, на карту алхимидической галактики и набиралась сил. У нее была миссия, которую она должна была довести до конца.

Наконец она встала, взяла Кольцо Дыма и вновь спустилась в подводную лабораторию, где Макс проверял электрическую систему и провода компьютера. Увидев Нину, андроид расплылся в улыбке и спросил с нетерпением:

– Ты пгинесла вагенье?

– Сейчас нет. Принесу чуть позже. Я попросила няню купить десять банок. Этого хватит? – спросила она. – Но я принесла Талдом и зуб дракона, которые ты просил.

Макс немножко обиделся, но не подал виду, взял девочкину правую руку со звездой и погладил ее.

– Я никогда не смогу гассегдиться на тебя. А тепегь слушай меня внимательно. Сейчас ты полетишь на Ксогакс. Я уже послал туда весточку, и ксогаксианцы мне ответили, что готовы пгинять тебя. Ты увидишь много пгекгасных и невегоятных вещей. Я с тобой не полечу: свой пегвый полет ты должна совегшить в одиночку. Таково пгавило. Сейчас я должен пгиготовить тебя. Поэтому будь внимательна.

Вот и пришел момент, которого Нина давно ждала. Андроид усадил ее в стеклянное кресло, стоявшее в специальной кабинке, и начал объяснять процесс транспортации.

– Самое главное: ты должна сидеть неподвижно. Сильно сожми Талдом и не оставляй его ни на мгновение. Я набегу на клавиатуге твое имя и твой код, под котогым ты загегистгигована на Шестой Луне: Нина 5523312. Затем вставлю в компьютег зуб дгакона, для увеличения энеггии полета. Кгесло начет излучать свет, и ты почувствуешь себя в центге сильного светового луча. Закгой глаза, гасслабься и ничего не бойся. С этого момента начнется твой полет во Вселенную. Ты услышишь, как нагастает звук музыки, и увидишь цветные вспышки. Это значит, что ты пгиближаешься к ГГАНИЦЕ МИГОВ... Когда ты пегесечешь ее, сгазу же наступит тишина и твои ноги коснутся Ксогакса. Это будет фантастическое путешествие, повегь мне.

Девочка дрожала от волнения как осиновый лист. Сжав обеими руками Талдом, она закрыла глаза и стала вспоминать деда, своих таких далеких родителей, удивительные события, в которых она участвует.

«Мама, папа, вы разыскиваете жизнь во Вселенной, а я ее уже, кажется, нашла. Кто знает, когда мне удастся рассказать вам об этом», – мысленно обратилась она к Вере и Джакомо, находившимся за тысячи километров отсюда.

Прежде чем набрать на клавиатуре имя и код, Макс попросил Нину посмотреть на часы. Они показывали 14 часов 42 минуты и 3 секунды.

– Когда ты вегнешься сюда, здесь не пгойдет и секунды... Ты знаешь почему... Вгемя не существует.

Сказав это, Макс набрал цифры на клавиатуре, и кресло, в котором сидела Нина, утонуло в ослепительном свете, водоворот цветов закрутился вокруг девочки, полностью скрыв ее из виду. Талдом стал прозрачным, как стекло, раздался хлопок, и голубая вспышка унесла Нину прочь, оставив Макса одного в подводной лаборатории.

Первым ощущением Нины было то, что она находится внутри плотного серо-белого облака, сквозь которое ничего не было видно. Затем на какое-то мгновение она почувствовала ледяной холод, который сразу же сменился сильным жаром, и облако налилось ярким красным светом. Нина инстинктивно закрыла глаза, а когда открыла, увидела, что она мчится по бесконечному туннелю из разноцветных мерцающих лучей, сквозь дымовые вихри и грозовые облачка из мельчайших бриллиантиков. Внезапно туннель закончился, и девочка увидела, что находится внутри прозрачной сферы, стремительно несущейся в космосе. Нина огляделась и узнала Землю, Солнце, Луну, Марс, Юпитер, Сатурн с его кольцами и малые планеты своей галактики, которые часто видела из окна. Млечный Путь исчезал из виду, впереди вставали новые галактики, более крупные, переливающиеся разными цветами. Абсолютная тишина царила в этом пульсирующем, постоянно изменяющемся пространстве.

Внезапно сфера резко замедлила полет, и Нине показалось, что она очутилась внутри резиноподобной массы, где не было ни звука, ни света, ни времени.

Это было Ничто, полное Всего.

Это было начало Магической Вселенной, где пространство и время слились воедино.

Прозрачная сфера, в которой находилась Нина, лопнула, как мыльный пузырь, и она почувствовала, что ее тело продолжает полет в пространстве, где вода перемешалась с воздухом, где не существовали верх и низ, право и лево, направления вперед и назад.

Это была Вселенная Всего, Мир магический и алхимический, откуда началась жизнь космоса.

Нина услышала чарующую музыку, льющуюся издалека. Светящиеся круги скользили вдоль ее тела, музыка становилась все громче, сопровождая ее полет в бесконечности, среди гигантских планет, раскаленных солнечных шаров и стремительных метеоритов.

«Так должен выглядеть истинный покой», – подумала она.

Талдом, все еще прозрачный, задрожал в ее руке, и из глаз Гуги в сторону одной из галактик вырвался красный луч. Алхимидия!

Нина не дышала: в этом не было необходимости. Она перебирала ногами, словно плыла в воде, и ее волосы струились среди звезд. Галактика Алхимидия возникла перед ней внезапно во всей красе. Нина невольно ахнула, потрясенная увиденной картиной, самой восхитительной из всего, что она видела до сих пор: фантастический хоровод огромного количества звезд и солнц. Из центра этого позолоченного гигантского кольца и лилась услышанная ею нежнейшая мелодия, а само кольцо выбрасывало пульсирующие, словно сердце, изумрудные лучи, улетающие на многие километры в глубь бескрайнего космоса. Нина приближалась к миру ксораксианцев.

Мощное энергетическое поле подхватило ее и понесло к Ксораксу. Несколько оборотов вокруг себя, потом с дюжину кувырков в воздухе – и Нина, зажмурившись, ощутила, как ее тело плавно опустилось на твердь – поверхность Шестой Луны. Замерев, она медленно приоткрыла глаза и посмотрела на небо: полосы ро-

зовых дымов, маленькие золотые звездочки, вихри рубинового цвета, три солнца, медленно вращающиеся и обменивающиеся радугами, пять лун, сияющие фиолетовым и голубым светом.

– Клянусь всем шоколадом мира, такого неба я даже в снах не видела! – воскликнула Нина, но не услышала ни единого звука. Словно эти слова она произнесла под водой: губы шевелятся, а слов не слышно.

Девочка подняла руку и почувствовала, что тело ничего не весит и она может передвигаться, не касаясь ногами поверхности: гравитация отсутствовала. Атмосфера Ксоракса представляла собой некую субстанцию, похожую на воздух и воду, вместе взятые, ее цвет постоянно менялся в пульсирующих лучах солнц и лун, которые вращались вокруг планеты. Нина посмотрела по сторонам и увидела бескрайнее поле с цветами, отдельно – луг, покрытый очаровательными красными маленькими цветочками – мисилями. За лугом, вдоль тропинки, ведущей к озеру с бриллиантовой водой, росли огромные растения с толстыми листьями олоо (синего) цвета, в которых Нина признала фусталлы. Вдоль горизонта тянулись невысокие холмы олис (желтые), вироас (лиловые), фойят (красные), нойзи (розовые) и бизиоф (зеленые)...

В два прыжка она долетела до них и обнаружила, что эти холмы – не что иное, как груды драгоценных камней. Одни – из рубинов, крупных, словно апельсины, другие – из изумрудов странной кубической формы, третьи – из кварца, а самый высокий – из гоазила, розового ксораксианского камня. Нина прикоснулась к ним рукой, и ее сердце наполнилось счастьем. Дальше, за холмами, лежал большой лес. «Коранна! Магический лес Шестой Луны», – узнала его девочка и вспомнила, что туда имеют право входить только ксораксианцы. Но где они? Никаких следов жителей Ксоракса. Не было видно ни домов, ни других построек. Ничего, что могло бы напоминать обжитое место. Перед Ниной был только бескрайний и безлюдный пейзаж.

Вдруг она почувствовала, что кто-то ласково погладил ее по лицу, и перед ней появилась Этэрэя, могущественная Мать Всех Алхимиков Вселенной. Этэрэя была соткана из света, как и другие жители планеты, и очень высокая, около трех метров ростом. Она двигалась, словно танцуя, у нее не было ни рук, ни ног, разглядеть можно было только лицо: два огромных темно-синих глаза и маленький бледно-розовый рот.

Нина с робостью смотрела на нее.

Губы Этэрэи задвигались. И опять Нина не расслышала ни единого звука, но в мозгу прозвучали слова. Это был телепатический диалог!

Добро пожаловать, Нина 5523312.
Ты избрана Первой девочкой Шестой Луны.

Мы тебя очень любим.
Мы знаем, что ты хочешь
Спасти нашу планету...

Голос Этэрэи звучал трепетно и мелодично. Нина была изумлена: невероятно, но она телепатически общалась с женщиной из света!

«Спасти Ксоракс, да... Мой дедушка Миша оставил мне это задание», – мысленно ответила девочка. И открыла было рот, чтобы объяснить, как собирается это сделать, но Этэрэя перебила ее.

Тебе не надо ничего объяснять: мы знаем все.
Нам известно прошлое,
Потому что его создали мы.
Будущее не существует,
Потому что все уже случилось.
Мы вне будущего.
Мы существуем всегда.
Магическая Вселенная –
Начало и конец Всего и Ничего.

«Что значит: будущего не существует?» – спросила Нина, не скрывая, что сказанное Этэрэей слишком сложно для понимания жителя Земли. Нина еще не знала, что эта встреча на самом деле – первый маго-алхимический урок, преподносимый ей Магической Вселенной в лице Этэрэи.

Мы хорошо знаем, что сейчас ты
Не понимаешь моих слов.
Ты поймешь, когда узнаешь все о Ксораксе.
Не пугайся. Здесь тебе ничто не грозит.
Ничем не сдерживай свои мысли,
И они войдут в нас.
Пространства и Времени не существует.
Существует ВСЕГДА, и по этой причине
Мы просили помощи
У Белых Магов Земли,
Таких, как твой дедушка –
Профессор Михаил.
Мы не сможем СУЩЕСТВОВАТЬ,
Если исчезнет ВСЕГДА.
Чтобы жить, нам необходимо
Нанести поражение ЗЛУ,
Которое омрачает ВСЕГДА.

«Всегда? Что такое Всегда? Я все еще не понимаю тебя. И потом, как я могу спасти Ксоракс от Зла?»

Делай то, что ты знаешь.

«А мой дедушка? Вы не знаете, где он? Он действительно умер?»

Умереть не означает не существовать...
Мысль остается жить, и это –
Единственное, что имеет цену.
Мысль живет Всегда.
По этой причине Ксоракс в опасности.
Шестая Луна нуждается в мыслях,
Чтобы существовать Всегда.
Дети Земли перестали размышлять,
Потому что Зло вошло в их мозги.
Их мысли остаются одними и теми же,
Никто из детей не имеет новых идей
И ни о чем не мечтает.
Тому, чтобы побуждать активно мыслить,
И служат Магия и Алхимия.
Если не удастся пробудить в детях
Способность мыслить и мечтать,
Ксоракс исчезнет,
И с ним вместе Магическая Вселенная.
Все существа, живущие в космосе,
Находятся в опасности,
И только вы, дети Земли,
Сможете спасти ЖИЗНЬ НАВСЕГДА.

«Мысли и фантазии детей спасут Шестую Луну... Это означает, что Ксоракс будет существовать до тех пор, пока дети будут мечтать?»

Да. Именно так.
И так было всегда.

Чтобы освободить детские мозги от пут Зла,
Ты должна вернуться в прошлое,
К древним народам Земли,
И вернуть им жизнетворные Мысли.
Только чистота детских мыслей
Порождает то, что ты видишь и слышишь.
Воздух, огонь, почва и вода существуют
ВСЕГДА, так же,
Как рубины и алмазы, деревья и цветы,
Животные, птицы и рыбы.
МЫСЛИТЬ – ЗНАЧИТ СОЗДАВАТЬ!

«Мыслить – значит создавать... да, это я понимаю. А отвратительные мысли, такие, как у Магов вроде Каркона, ведут к разрушению всего?.. Мне кажется, я начинаю понимать...»

Молодец. Я знала, что у тебя
С самой собой не будет трудностей.
Но знай, спасти Ксоракс – задача нелегкая.
Ты должна будешь пройти
Через многие испытания
И усовершенствовать свое умение
Обращаться с алхимическими формулами.
Некоторые ты уже знаешь,
Тогда как многие другие тебе
Предстоит создать самой.
А сейчас повернись через правое плечо,
Смотри и слушай.

Нина поступила, как велела Этэрэя. Она обернулась и узнала в необычной птице, летящей над ее головой, Гуги, которую впервые увидела на Талдоме и на переплете магической Книги. С золотым опереньем и сверкающими красными глазами она была прекрасна. Птица парила в небе, медленно взмахивая четырьмя прозрачными крыльями. Наконец она приземлилась на единственную ногу, приоткрыла клюв, и полилось чарующее пение. В отличие от слов, пение Гуги было слышно без какой-либо телепатии. Из-под крыльев птицы посыпалась золотая пыль, закружившаяся вокруг Нины сверкающим облачком. Нина протянула руку, чтобы потрогать Гуги, и волшебная птица наклонила голову, позволив погладить ее. Перья были очень мягкие и шелковистые. Одно осталось в руке у Нины, и она прижала его к груди.

Этэрэя приблизилась к девочке и сказала:

Это золотое перо ты должна
Хранить с любовью.
Держи его всегда у сердца.
Чтобы связаться с Шестой Луной,
Тебе нужно будет лишь погладить его,
И ты увидишь то, что желаешь видеть.
Не позволяй никому и никогда
Дотрагиваться до него.

Если Злу удастся завладеть Пером Гуги,
Все мы будем в серьезной опасности.

«Когда я вернусь на Землю, я смогу вновь увидеть Ксоракс, лишь только стоит погладить Перо?» – переспросила Нина.

Да, именно так.
Это Перо обладает магическими свойствами.

От любования чудесным пером Нину отвлек странный мелодичный звон. Она подняла голову и увидела приближающееся существо в фиолетовых и голубых перьях, похожее на колокол. Тин...тин...тин... Чем ближе оно подходило, тем громче звенело. «Значит, единственные звуки, которые можно слышать на Шестой Луне, те, что производят животные», – сделала вывод Нина. Она узнала его, так как видела изображение в черной тетради деда и даже помнила название – Тинтиннио.

«Какой ты симпатичный!» – сказала девочка, протягивая руку, чтобы погладить животное. Вслед за Тинтиннио припрыгал Сбаккио, белый огромный клубок с длинными желтыми ушами и ртом. Затем у самых ног девочки появилась странная темно-синяя рыба, которая неуклюже ковыляла по поверхности, волоча плавники.

«А ты, наверное, Куаскио, рыба, которая может жить и на суше? Я тебя тоже узнала, потому что читала твое описание среди заметок деда. Вы все там есть!» – сообщила она зверушкам и попыталась взять в руки необычного толстячка.

Гуги и Тинтиннио засмеялись, производя странные звуки, а на волосы Нины опустилась маленькая оранжевая бабочка с человеческим лицом – Ондула, которая поприветствовала девочку, лукаво подмигнув ей.

Нина была в восторге: Ксоракс на самом деле оказался необычайной волшебной планетой.

Этэрэя вновь приблизилась к ней и, накинув на нее покрывало света, повела с собой.

Ты еще не раз прилетишь сюда
И сможешь лучше узнать
Наших животных и растения.
Но сейчас я должна показать тебе
Очень важную вещь: сердце Ксоракса.

«Сердце?» – изумилась Нина.

Да. Мы зовем его так.
Это МИРАБИЛИС ФАНТАЗИО,
Самая большая алхимическая
Лаборатория Вселенной,

Из стен которой вышло ВСЕ.
Все, что существует, создано в ней.
В ней трудились тысячи ксораксианцев,
А также Белых Магов.
Они пытались сохранить немногие мысли,
Которые живы благодаря им.

«Маги? И мой дедушка?..»

Ты скоро его увидишь.
Но он будет не таким, каким ты его помнишь.

«Значит, он жив... он среди вас? В лаборатории Каркона я прочла слова о том, что мой дед и Биров были распылены над Ксораксом... а это значит, они мертвы. Я хочу увидеть деда Мишу как можно быстрее... прошу тебя, Этэрэя, отведи меня к нему».

Малышка Нина, это правда,
Твой дедушка сейчас находится на Ксораксе
И никогда больше не вернется на Землю.
Когда он сражался против Каркона,
Ему не удалось устоять
Против энергетического разряда
Пандемона Морталис,
И, понимая, что уходит,
Он произнес ФИНАЛЬНУЮ ФРАЗУ,
Которую ты не можешь

И не должна сейчас знать.
Нажав на глаза Талдома Люкс
И превратившись в луч чистого света,
Он стал одним из ксораксианцев, таких, как я.
На Земле он оставил только свою оболочку.
Твой дедушка превратился
В энергию... в свет.
Сейчас живет только его Мысль.

«Дедушка из света? Его мысль... но тогда он не живой?..»

Он такой же живой, как и я.

«И я смогу его увидеть?»

Конечно. Он в Мирабилис Фантазио
Вместе с Бировым и другими алхимиками.
Они пытаются спасти Шестую Луну
С помощью алхимических методов
И философских исследований.
Но это все очень сложно.
Без мыслей и новых идей
Мирабилис Фантазио
Не может произвести Ничего.

«И Биров тоже рядом с моим дедушкой? Но это... невероятно! Да, да, я понимаю, что это все сложно, но... мне хотелось бы...»

Нина умолкла на половине фразы, с восхищением уставившись на внезапно появившееся перед ней здание, очень высокое, наверное, с километр, из твердого света. Оно напоминало гигантский стеклянный замок, только с непрозрачными стенами. Над входом на огромном портике из голубого света был изображен сложный разноцветный рисунок. Этэрэя объяснила, что это герб Вселенной, символизирующий ценности исчезнувших народов. Орнаменты и геометрические фигуры, знаки и символы напоминали о древних цивилизациях Земли, таких как Атлантида, следов которой до сих пор никто не смог отыскать, государств ацтеков, майя, египтян и других растворившихся во времени народов.

Этэрэя трижды повернулась вокруг себя, вызвав разноцветный вихрь, и подбросила в воздух дымный шар, и из него появился медальон, точная копия герба Вселенной. Мать Алхимии бросила медальон Нине, которая на лету его поймала: он был из темного металла и пах ладаном.

Это Ямбир. Медальон,
Который поможет тебе
Проникать в древние времена Земли.
Ты должна использовать его только тогда,
Когда будешь твердо знать,
Куда идти и что искать.
Запомни, ты должна вернуть
Жизнетворные Мысли.
В противном случае дети Земли
Не смогут ни мечтать, ни мыслить,
И все закончится крахом.

«Ямбир? Эта магическая железка поможет мне путешествовать в прошлое? А куда я должна пойти сначала? И когда?»

Много вопросов родилось в голове девочки, пока она смотрела на подаренный медальон.

На каждый вопрос
Ты получишь ответ,
Когда это будет необходимо.

Но уже сейчас ты должна знать главное:
Ты должна хранить как зеницу ока
Ямбир, Перо Гуги и Талдом Люкс.
Это те атрибуты,
Которые необходимы тебе,
Чтобы помочь моей планете.

Голос Этэрэи был спокоен, но тверд. Ксораксианка хотела не пугать Нину, а ознакомить ее с основными знаниями, необходимыми для спасения Ксоракса.

Этэрэя продолжила:

Сегодня ты не можешь
Войти в Мирабилис Фантазио.
Знай, для этого мало
Только одного твоего желания.
А сейчас закрой глаза и открой их,
Только когда я тебе скажу...

Несмотря на то что ей так не хотелось отрывать взгляда от великолепия светового замка, Нина подчинилась Великой Алхимичке и стала ждать.

Нина, вот и твой дедушка.

Голос Этэрэи, словно стрела, вонзился в мозг Нины, и девочка мгновенно открыла глаза.

«Дедушка!.. но... какой ты яркий!»

Профессор Миша представлял собой световую колонну. Можно было разглядеть только его большие глаза и белую бороду. Старый алхимик подошел к девочке и обнял ее теплым розовым светом.

«Я чувствую тебя, дед. Я тебя обнимаю. Я тебя очень люблю», – говорила про себя Нина, обнимая руками столб сияющего света.

«Моя Ниночка, моя маленькая Нина, я тоже тебя сильно люблю. Ты стала совсем молодцом. Я очень рад видеть тебя. У тебя все будет хорошо... Но я не могу долго оставаться с тобой. Этэрэя позволила нам встретиться только потому, что ты была выбрана Девочкой Шестой Луны, которой предстоит спасти Ксоракс. Мы увиделись, и я должен уходить. Остерегайся Каркона и его дьяволят. Знай, что я тебя никогда не оставлю. Моя Мысль СУЩЕСТВУЕТ, и она всегда тебе поможет».

Голос деда был полон нежности, и Нина чувствовала, как она наполняет ее. Телепатическая связь работала превосходно: эмоции передавались так же совершенно, как и слова.

Нине хотелось плакать и смеяться одновременно, хотелось поцеловать деда в щеку, потеребить его бороду, усесться к нему на колени и рассказать ему все, что с ней случилось. Она и собиралась сделать это, но внезапно ледяной ветер остудил ее лицо, она инстинктивно зажмурилась, а когда открыла глаза... больше ничего перед собой не увидела.

Не было больше ни деда, ни Этэрэи, ни Мирабилис Фантазио.

Исчезло все...

Нина попыталась повернуть голову влево-вправо, но тело словно сжала плотная резина.

Голос Этэрэи еще раз проник в ее мозг:

Возвращайся на Землю.
Начинай работу по спасению Ксоракса.
Все, что для этого надо,
Ты найдешь в Акуэо Профундис
И в Магической Книге.
Держи Талдом Люкс всегда при себе.
Если ты его потеряешь,
Никогда больше не сможешь
Вернуться на Шестую Луну,
И мы потеряемся НАВСЕГДА.
Очень осторожно пользуйся
Ямбиром и Пером Гуги.
Запомни, Нина:
Мыслить – значит Создавать.

«Но... что я должна делать? Подожди... Этэрэя... Нееееет!»

Крик утонул в безмолвии. Прервалась и телепатическая связь с Матерью Всех Алхимиков.

Нина испугалась. Вдруг она почувствовала, как мощный энергетический поток подхватил ее и понес в космос. Голова шла кругом, перед глазами мелькали и исчезали в магическом небе Алхимидии хвосты комет и сверкающие звезды. Полет в обратную сторону начался.

Нина опять оказалась в прозрачной сфере, несшейся сквозь пространство среди галактик в сторону Солнечной системы, к Земле.

Стеклянное кресло в кабинке Акуэо Профундис было ярко освещено. Макс 10-п1 заметил, что зуб дракона исчез почти полностью, а это означало, что скоро должна появиться Нина.

Он опять набрал ее имя и код на клавиатуре, и в вихре света возникла наша путешественница.

Нина крепко прижала к груди Талдом, Перо и медальон и продолжала прижимать, даже когда до нее дошло, что она вернулась в Акуэо Профундис.

Андроид подошел к ней и погладил по волосам. Затем он посмотрел на Ямбир, на Перо Гуги и понимающе улыбнулся.

– Молодец. Тебе удалось сделать это. Я увеген, что все пгошло отлично. Вижу, что Этэгэя сделала тебе подагки. Увидишь, они тебе очень пгигодятся. Я помогу тебе обгащаться с ними... А сейчас посмотги на часы...

Нина повернулась к стене и увидела, что на часах все те же 14 часов 42 минуты и 3 секунды. Время не изменилось с момента ее отлета. То есть время полета на Ксоракс и жизни на этой планете не имело исчисления, оставаясь неизменным. Время существует и имеет значение только для землян.

Девочка поднялась из кресла и обняла Макса.

– Я видела дедушку... он весь из света. Но он живой, и я была очень счастлива увидеться с ним.

Именно это: ощущение счастья от встречи с дедом и знакомства с Ксораксом было самым сильным впечатлением от полета на Шестую Луну. Слушая Нину, Макс то смеялся, то плакал вместе с новой подругой.

Профессор Миша и Биров были изгнаны с Земли Карконом и жили на Ксораксе. А бесценные алхимические знания оказались в руках Нины, перед которой стояла задача восстановить и активизировать мыслительные способности и мечты детей Земли. Как это сделать, оставалось для нее пока большой загадкой.

Посещение Ксоракса было невероятным приключением, и Нине не терпелось рассказать о нем своим друзьям.

– Макс, мне необходимо сходить к Ческо и другим ребятам. Мне нужно поскорее расска-

зать им о полете и обсудить, что нам делать дальше. Мыслить – значит создавать. Только так мы сможем спасти Шестую Луну.

Андроид с любовью посмотрел на девочку и посоветовал, прежде чем говорить с друзьями, пролистать хотя бы несколько страниц еще одной магической книги, той, что лежала рядом со стеклянным креслом: «Дороги Мира».

Нина решила, что Макс знает, о чем говорит, и открыла книгу. В ней рассказывалось о древних цивилизациях Земли. Здесь были фантастические истории Атлантиды и пирамид Египта, загадки Сфинкса, Осириса и Изиды, рисунки майя и инков и ближе к концу – глава, целиком посвященная острову Пасхи. Древние цивилизации и Ксоракс. Этэрэя упомянула, что между ними существует прямая связь. «Еще она сказала, что я должна проникнуть в прошлое и вернуть способность мыслить и мечтать детям Земли и это – главное для спасения Ксоракса», – вспомнила Нина и счастливо засмеялась. Девочка Шестой Луны поняла, в чем ее миссия. Оставалось только продумать, как сделать, чтобы все получилось. И не забывать о Карконе, который наверняка будет мешать ей изо всех сил. Человеческих и дьявольских.

– Для начала тебе бы неплохо опгеделиться, куда тебе надо отпгавиться в пегвую очегедь, – посоветовал андроид.

– Ты абсолютно прав, мой друг, я действительно не знаю, с чего начать, с какой цивилизации. Может, говорящая Книга сможет мне подсказать?

С этими словами Нина вышла из Акуэо Профундис, оставив Макса одного.

– Не волнуйся, я скоро вернусь и принесу тебе твое клубничное варенье.

Она впрыгнула в вагонетку, молнией пролетела туннель и вбежала в лабораторию виллы. Положив Перо Гуги, Талдом и Ямбир на стол, она взяла мобильный телефон и позвонила Ческо.

– Привет. Быстро все ко мне, нужно поговорить!

Вздохнув с облегчением, она вышла из лаборатории и отправилась к Любе забрать банки с вареньем. Няня протянула ей полную корзину.

– Ты выглядишь усталой. Мало спишь, дорогая моя девочка, – озабоченно покачала она головой.

Нина лишь засмеялась в ответ.

– Спать – это не работа... Я должна думать, Безе. Когда придут мои друзья, скажи им, что я жду их на верхней террасе. Если захочешь...

можешь приготовить немного мороженого, в такую жару это будет не лишним.

Люба вновь покачала головой и напомнила Нине, что у нее скоро экзамены.

– До второго июля осталась всего неделя, и тебе надо бы заниматься днем и ночью, а то провалишься. А мне не нравятся дети, не способные сдать экзамены. Смотри, позвоню в Мадрид и пожалуюсь тете Андоре, – шутливо пригрозила няня.

Нина взяла большой кусок шоколада и целиком сунула его в рот.

– Экзамены? Но, няня, я уже все выучила. Я занимаюсь как сумасшедшая. Не беспокойся, и прошу тебя, не упоминай имя тети Андоры, это мне действует на нервы. – И Нина с корзиной в руках вышла из кухни.

Глава девятая

Андора и Ямбир

Часы в Апельсиновом Зале пробили четыре часа вечера. На большой террасе виллы «Эспасия», обращенной к лагуне, было замечательно. Утренняя непогода миновала, небо очистилось и отливало голубизной. Кот и пес, развалившись на полу, вели себя спокойно, солнечные лучи скользили по поверхности воды, бликуя золотом. Поджав ноги, Нина сидела в кресле, смотрела на маленькие островки, разбросанные по лагуне, и старалась определить точку, под которой, среди морских ежей и рыб, мог находиться стеклянный куб Акуэо Профундис.

Она с нетерпением ждала, когда же наконец появятся ее друзья и она сможет рассказать им о своих приключениях на Шестой Луне.

А в это время, за тысячу километров отсюда, Андора готовилась сесть в самолет, который через несколько часов доставит ее из Мадрида в Венецию. Кармен даже не подозревала, что сестра задумала эту неожиданную поездку. Андора сказала ей, что поедет навестить старую подругу в Толедо и не знает, когда вернется.

В этот июльский вечер Нина и подумать не могла о том, что ее нелюбимая тетя может появиться здесь. Голова девочки была занята Ксораксом: она вспоминала Гуги, Тинтиннио, Ондулу, деда, волшебницу Этэрэю, очаровательные пейзажи Шестой Луны. Погруженная в эти мысли, она не сразу услышала звуки, доносившиеся из коридора, ведущего к террасе, и через мгновение увидела входящих Ческо, Рокси и Додо. За ними шествовала Фьоре, держа в руках поднос с мороженым, приготовленным Любой.

– Вот и вы, наконец-то! Садитесь и слушайте внимательно, что со мной случилось, – произнесла Нина загадочно.

– Что с то... то... тобой случилось новенького? – заикаясь, спросил Додо.

– О Боже! Я чувствую, нас ждет нечто потрясающее! – повела плечиками Рокси, как обычно экстравагантно одетая.

– Ну давай, Нина, не тяни резину! – воскликнул в нетерпении Ческо.

– Итак, я была... точнее, я летала на Ксоракс!

Как только она произнесла эти слова, пораженные ребята переглянулись, а затем хором спросили:

– Ты шутишь или выпила чересчур много магической микстуры?

– Я серьезно говорю. Не время для шуток, нам предстоит сделать многое и как можно быстрее. Шестая Луна должна быть спасена. Магическая Вселенная, откуда берет начало жизнь всего в космосе, живет энергией, рождаемой мыслями, идеями, мечтами и грезами детей Земли. И эта энергия почти на исходе. Если дети не начнут активно мыслить, мечтать, Ксоракс погибнет. Мечтать и мыслить – значит создавать.

Слова Нины звучали очень серьезно, и все сразу же ощутили их важность, даже если не совсем поняли содержание загадочных слов. Она была права, большинство детей Земли давно перестали размышлять, фантазировать и мечтать о чем-либо. Дурацкие комиксы, жестокие компьютерные игры и оглупляющий телевизор не оставляли для этого времени, выдавливая из мозгов мысли о Добре.

– Жители Ксоракса избрали меня Девочкой Шестой Луны, потому что я унаследовала от моего дедушки магические и алхимические способности. Это, конечно, приятно, и я горда этим, но без вашей помощи мне не удастся выполнить мое предназначение. Дед Миша знал, что рядом со мной будете вы, ребята, обладающие редкой способностью: вы умеете мыслить. Поэтому мы должны держаться вместе и освободить других ребят от мыслей о Зле, заставить их мозги работать на благо Добру.

У Нининых друзей заблестели глаза от мысли о возможности участвовать в спасении главной планеты Магической Вселенной.

– Неужели судьба Ксоракса так сильно зависит от количества мыслящих детей на Земле? – пробормотал озадаченно Ческо.

– Да, именно это мне сказала Этэрэя, Мать Всех Алхимиков Магической Вселенной.

– Этэрэя – какое красивое имя! Когда ты с ней виделась?

– Часа два назад. На Ксораксе. Какая это прекрасная планета! Волшебная. Полная света. И сама Этэрэя вся из света. Я вам клянусь, Ксоракс существует, и я там была, – закончила девочка с восхищением в голосе.

– Да ладно тебе, не шути так... ты что, в космос летала? – Рокси, начитавшаяся книжек про астронавтов, не могла поверить, что такое может случиться с ее подругой.

– Да, дорогие мои друзья, я летала на Ксоракс. Это был чудесный полет среди метеоров, комет и галактик. И еще я забыла вам сказать, я виделась с дедом Мишей. Он и Биров живут на Шестой Луне...

Ребята не верили своим ушам. Рассказанное Ниной было слишком невероятным, чтобы походить на правду. То, что она виделась со своим умершим дедом, – это уж чистая фантастика! Конечно, они знали, что Нина обладает магическими способностями, но летать среди звезд, без специального корабля и снаряжения!.. Явный перебор!

– Этэрэя показала мне Мирабилис Фантазио и...

– Мирабилис Фантазио? А это что такое? – прервали ее друзья.

– Это – гигантская лаборатория Ксоракса, куда стекаются все мысли, идеи и фантазии детей. В ней работают тысячи ксораксианцев, которые сортируют их и делают все, чтобы сохранить хорошие мысли, позволяющие существовать Шестой Луне. Они также создают алхимические препараты и изучают философию, чтобы помочь Магической Вселенной существовать Всегда. Всегда, понимаете? – сделала ударение на этом слове Нина. – Ничто и никогда не должно взять верх над Всегда. И если дети Земли прекратят мыслить, Ничто и Зло погасят свет на Ксораксе, и жизнь в космосе прекратится.

– Но это же ужасно! И нас тоже поглотит Ничто? И наш мир тоже исчезнет?

– Ничто не победит. Мы должны победить Зло. Нейтрализовать Каркона и его воспитанников, которые порождают плохие мысли! – вскочила со стула Рокси.

Фьоре и Додо продолжали с недоверием смотреть на Нину. Тогда, чтобы убедить своих друзей и доказать, что она действительно побывала на Шестой Луне, девочка достала из кармана комбинезончика золотое Перо Гуги и Ямбир. И начала объяснять, для чего они служат, сообщив, что им надо готовиться к путешествию в прошлое.

– Я обязательно покажу вам Шестую Луну, для этого мне надо только погладить Перо Гуги, но не сейчас. Сначала я должна спросить говорящую Книгу, в какое место древнего мира мы должны отправиться.

– Перо Гуги... откуда оно у тебя? – спросил Ческо.

– Когда я погладила Гуги...– начала Нина.

– Ты видела Гуги? Волшебную птицу? Ту, что на Талдоме? – удивился Ческо.

Проглотив полную ложку шоколадного мороженого, Нина ответила:

– Да. Это невероятная птица. Она большая, очень красивая и изумительно поет. Очень-очень нежно. Когда я ее погладила, у меня в руке осталось это Перо. Там еще были Тинтиннио, Куаскио и Ондула... я видела столько фантастических вещей! И если вы пойдете сейчас со мной в лабораторию, поймете больше. Говорящая Книга поможет нам найти способ вернуть детям Земли способность мечтать и творить. Она объяснит, как проникать в прошлое, к древним цивилизациям Земли.

– Но какое отношение имеют эти цивилизации к Шестой Луне? И каким образом ты сможешь вернуть способность мыслить детям, отправившись в прошлое? – спросила Рокси.

– Не знаю. Это я и должна спросить у говорящей Книги.

– А как ты сможешь оказаться в прошлом?

– Тоже не знаю. Думаю, для этого я должна воспользоваться Ямбиром – медальоном, который мне дала Этэрэя.

– Какой красивый! Никогда не видела ничего похожего, – произнесла Рокси, разглядывая магический медальон.

– Пошли скорее, мне не терпится узнать, что нам делать дальше, – заключила Нина, вскакивая с кресла, но Ческо взял ее за руку.

– Ты ничего не забыла?

– Что?

– Ты, помнится, попросила нас найти план дворца Каркона? Мы его нашли! – Ческо засмеялся, довольный произведенным эффектом, а Додо протянул Нине свернутый в трубку лист.

– Превосходно!

И они побежали в лабораторию. Нина положила на стол золотое Перо и медальон, рядом с Талдомом, Кольцом Дыма и черной тетрадью. Додо и Фьоре уселись у камина, который продолжал гореть, несмотря на жару в комнате, Рокси оперлась спиной о дверь, а Ческо встал рядом с Ниной. Девочка положила руку на жидкую страницу и спросила:

– Книга, Этэрэя дала мне Ямбир и сказала, что я должна вернуться в прошлое. Но куда я должна отправиться? И как это сделать?

В Акуэо Профундис есть мое подобие.
Ты уже знакома с ним.
Положи на него Ямбир и получишь ответ.
Для путешествия в прошлое
Ты должна будешь изготовить препарат.
Пить его предстоит в течение всего пути.
Когда доберешься до места, найдешь
Начало того, что ты есть и что имеешь.

Книга закрылась, Нина поцеловала переплет и подумала вслух:

– Твое подобие в Акуэо Профундис... наверное, это «Дороги Мира», которую я листала вместе с Максом. Остается только найти алхимическую формулу препарата, чтобы его приготовить. А вот смысла слов о том, что я найду свое начало, я не понимаю.

Нина обернулась к друзьям, вопросительно поглядела на каждого, но они лишь недоуменно пожали плечами.

Нина вновь обратилась к Книге.

– Книга, а мои друзья могут отправиться со мной в прошлое?

Если они захотят, то
Могут присоединиться к тебе.
Но сначала ты должна использовать
Перо, которое у тебя есть,
Чтобы показать, что тебе известно.

Нина взяла Перо Гуги и повернулась к друзьям, которые с любопытством смотрели на нее.

– Сейчас я поглажу Перо, и вы увидите Шестую Луну.

Додо от страха крепко зажмурился, Рокси нервно облизала губы, Фьоре закрыла рот ладошкой, а Ческо закинул ногу на ногу. Они приготовились к невероятному.

Нина погладила Перо: посреди комнаты сначала образовалось облачко, превратившееся в позолоченную прозрачную сферу, и в ней через несколько секунд появилась Шестая Луна в миниатюре.

Нина узнала мисили, фусталлы, холмы из драгоценных камней, увидела порхающую среди цветов Ондулу, бабочку с человеческим лицом, чуть выше летала магическая птица Гуги. Под ними в сверкающей воде озерка плавала Куаскио, а по берегу между деревьями радостно скакал Тинтиннио.

– Невероятно! Ксоракс действительно существует! – Слова пораженных друзей звучали в унисон с чудесной музыкой, лившейся из сферы.

Сфера поменяла цвет, став изумрудно-зеленой, и... в ней материализовалась Мирабилис Фантазио. Испускаемые стенами лаборатории лучи были такими яркими, что ребята прикрыли глаза руками.

Легкий ветерок ворвался в комнату, и сфера с изображением далекой волшебной планеты исчезла, разлетевшись мириадами золотых искорок.

Нина осторожно положила Перо на стол.

– Вот вы и увидели все, что видела я, когда была там. Правда, Шестая Луна восхитительна? Теперь вы понимаете, как важно спасти эту красоту. Мы не можем позволить никому ее уничтожить. Мой дед заплатил жизнью, стараясь защитить Ксоракс. Он, Биров и другие алхимики, философы и маги работали над сохранением секретов этой планеты и над тем, как вырвать детей Земли из пут Зла и Глупости. Теперь это стало и нашим делом. Поэтому я очень рада, что вы отправитесь со мной в прошлое, чтобы постараться помочь Магической Вселенной.

Ребята обнимались, хлопали друг друга по плечам, потрясенные увиденным и тем, что им предстоит участвовать в спасении этого чудесного мира.

На часах лаборатории было 17 часов 30 минут и 9 секунд, день подходил к концу, нужно было отправляться в Акуэо Профундис, чтобы подробнее прочитать книгу «Дороги Мира» и разобраться с возможностями Ямбира.

Нина взяла корзинку с вареньем, открыла люк и произнесла заклинание. Все спустились к туннелю, молнией пролетели по нему, открыли Кольцом Дыма каменную дверь и вбежали в подводную лабораторию.

– Пгивет, Нина, как я гад снова видеть тебя. А эти остальные – твои дгузья?

На физиономии Макса от уха до уха сияла заразительная улыбка. Засмеялись и ребята, беззлобно потешаясь над его произношением и забавной походкой. Андроид подошел к каждому из них, представился и пожал руку. Увидев у Нины корзинку с вареньем, он позабыл обо всем на свете, бросился к девочке и чмокнул ее в щеку.

– Спасибо! Спасибо! Ты – настоящий дгуг! Вагенье – моя жизнь! – вскричал он, покачиваясь от счастья из стороны в сторону.

– Дорогой Макс, говорящая Книга сказала, что для путешествия в прошлое я должна воспользоваться Ямбиром, но прежде мне надо приготовить магический препарат, который мы возьмем с собой в дорогу. Ты можешь мне в этом помочь? – спросила Нина.

Ответ андроида был неожиданным:

– Милая Нина, девочка Шестой Луны – это ты. Ты должна хогошо знать алхимию, если собигаешься помочь Ксогаксу. Мне очень жаль, но этой фогмулы я не знаю, ты должна создать ее сама. Может, твои дгузья тебе помогут. А я посмотгю, как это у вас получится, – сказал Макс, улыбаясь, и уселся на табурет.

– Черт возьми, все усложняется. Макс, ты что, и вправду не можешь нам помочь? – воскликнула Рокси.

Тот лишь засмеялся:

– Могу сказать только одну вещь: для пгиготовления этого пгепагата нужно много гук: кто-то должен искать коды, а кто-то – смешивать компоненты.

Нина стояла задумавшись, затем сказала решительно:

– Я знаю, где найду подсказку: в черной тетради деда она наверняка есть!

Действительно, решение нашлось именно там. В тетради черным по белому было написано: съешь мисиль, красный цветок Шестой Луны – и ты отправишься в прошлое. Значит, нужно было вновь вызвать миниатюрный Ксоракс и собрать волшебные цветы.

Взволнованные ребята приблизились к Нине, чтобы еще раз полюбоваться пейзажами Шестой Луны. Нина погладила Перо Гуги, и все повторилось, как в первый раз: облачко – золотистая прозрачная сфера, а в ней изумрудная поверхность далекой планеты. Нина, едва касаясь сферы, стала вращать ее, пока не показалось поле, усеянное благоухающими мелкими красными цветочками мисиль, источавшими изумительный аромат, заполнивший всю лабораторию.

– Как чудно пахнет! Похоже на запах розы и ландыша вместе! – восхищенно заметила Фьоре.

– Нет, скорее на запах горных цикламенов, – возразила Рокси.

– Да вы что? Это по... по... похоже на спелый, да, да, спелый персик, – с закрытыми глазами сказал Додо.

– Это самый приятный запах, какой я когда-либо вдыхал, – заключил Ческо, не сводя глаз со сферы.

Макс, сидя в отдалении, с улыбкой наблюдал за этой сценой. Впервые после долгого перерыва он вновь увидел Ксоракс, ощутил запах магических цветов и растрогался до слез.

Нина медленно погрузила руку в сферу. Все внимательно следили за ее движениями. Девочка аккуратно взяла в ладошку несколько соцветий, извлекла их из сферы и показала ребятам волшебные цветы. Как только она их вынула, сфера бесследно исчезла. Запах цветов был таким манящим, что Макс не удержался и подошел потрогать их:

– Волшебные и пгекгасные, мисили, цветы пгошлого, – проговорил андроид, гладя цветы.

Теперь надо было заняться формулой препарата, а для этого понять, какой код набрать, чтобы получить доступ к формуле. Ческо уже сидел за компьютером и набирал ключевые слова: «прошлое», «мисиль», «фойят» («красный» на языке Шестой Луны). Он нажал клавишу. Никакого результата. Рокси также не удалось найти никаких указаний на страницах «Дорог Мира», хотя она всю ее перелистала. Фьоре и Додо читали этикетки на бутылочках, ампулах и пузырьках. Никому в голову не приходило решение.

– Код и мисиль... цепочка цифр и магический цветок... Стоп! Рядом с названием цветка и его описанием в черной тетради были какие-то цифры. Вот они: 8833111. Может быть, это и есть код? – Нина раскрыла черную тетрадь на странице с описанием красного цветка.

Ческо быстро набрал на клавиатуре 8833111, и на экране появилось сначала изображение цветка, затем цифра 8, первая в набранной цепочке. Рядом с цифрой 8 возникло несколько фраз, написанных на языке Шестой Луны.

– Нина, скорее сюда! Только ты можешь это перевести. Это на языке Ксоракса! – позвал взволнованный Ческо.

Нина прочитала фразы, переписала их на листок бумаги и стала переводить, сверяясь с алфавитом.

8: магическое число,
Символизирующее совершенство.
Его символ представляет
Бесконечное и упорядоченное
Движение Вселенной.
Выпить цифру 8 –
Значит отправиться в путь.

– Выпить цифру 8? Как это? – удивился Додо.

– Пока не знаю, но, думаю, скоро узнаем. Посмотри, нет ли среди бутылочек какой-нибудь с цифрой 8, – не отрываясь от компьютера, попросил Ческо.

Надписи исчезли с экрана, но сразу же появился другой текст, и тоже по-ксоракситански. Нина опять занялась переводом, рядом стояли Рокси и Фьоре, стараясь понять, как она это делает.

Киноварь – результат смешивания
Металлической ртути
Или живого серебра с серой.
Кипятить до выпаривания
В течение двух часов.
Если выпить восемь глотков
Полученного препарата,
То ваши тела поднимутся над землей.

– Так, ясно: нужны металлическая ртуть или живое серебро и сера. Я слетаю в лабораторию на вилле, там они точно есть, – вскочила с табурета Нина.

И в эту секунду раздался крик Додо:

– Э... эй, я на... на... нашел. С цифрой 8. Вот они. Здесь шесть бутылочек с фи... фи... фиолетовой жидкостью. И на каждой этикетка с цифрой 8. Написано, что надо кипятить два часа. И достаточно три капли, чтобы был эффект. Надо же: два часа, так до... до... долго ждать.

– Клянусь всем шоколадом мира, как я смогу одновременно кипятить в течение двух часов смесь для препарата и эту фиолетовую жидкость?! – воскликнула в недоумении Нина.

– Мы можем использовать для этого обе лаборатории, – нашелся Ческо. – Только нам надо разделиться, одни останутся здесь и займутся жидкостью с цифрой 8, другие пойдут готовить препарат на виллу.

– Тогда я, Рокси и Додо займемся серебром и серой, а ты и Фьоре оставайтесь здесь и кипятите фиолетовую жидкость, – приняла решение Нина и посмотрела на часы.

Они показывали 19 часов 36 минут и 6 секунд, и Нина поняла, к своему огорчению, что уже слишком поздно начинать ответственную работу и лучше отложить ее на завтрашнее утро. О чем она с грустью и объявила друзьям. Это было здравомысленное предложение, и все согласились с ним. Макс одобрительно кивнул, взял плошку с цветами и бутылочки с цифрой 8, аккуратно сложил их в ящик лабораторного стола, тепло попрощался с ребятами и с большим удовольствием уселся перед банкой с клубничным вареньем.

– Встречаемся завтра в 8.30. Я буду ждать, – сказала Нина, открывая дверь Акуэо Профундис.

– Договорились, – ответили ребята, садясь в вагонетку.

Это был трудный день, и Нина очень устала, глаза у нее ввалились, и ей страшно хотелось есть. У входной двери Ческо, выходивший последним, сказал:

– Если у тебя будет свободная минутка перед сном, пробеги глазами план дворца Каркона, ты увидишь много интересного. Я обнаружил по меньшей мере три тайных галереи, связанные с каналом. Вероятно, Каркон использует их для передвижения на лодке. Посмотри, а завтра скажешь, что ты об этом думаешь.

Нина кивнула, попрощалась с ним, закрыла дверь и направилась в Апельсиновый Зал, где ее ожидал мрачный Платон.

До ужина оставался целый час. Люба заканчивала готовить рис по-индийски, запеченные в духовке баклажаны и вкуснейший фруктовый салат со сливками и миндалем. Впервые со дня своего появления на вилле «Эспасия» Нина собиралась провести спокойный нормальный вечер. В безмолвии огромного дома еще острее чувствовалось отсутствие родителей, но она старалась не раскисать, заставляя себя думать о предстоящей миссии, которую завещал ей дед. Хорошо бы позвонить любимой тетушке Кармен, узнать, не дошли ли новости до ФЕРКа, но она боялась наткнуться на Андору, разговаривать с которой у нее не было никакого желания.

Ее размышления прервал перезвон колокольчика у входной двери.

– Безе, я никого не жду, кто это может быть? – удивилась девочка.

Няня вытерла руки, открыла дверь и... потрясенная, увидела на пороге дома Андору с ехидной ухмылкой на лице.

– Нина, иди сюда... приехала тетя Андора! – Слова Любы прозвучали громом среди ясного неба.

– Андора? Здесь? – изумилась Нина, выскакивая в прихожую в сопровождении лающего Красавчика.

– Добрый вечер, Нина. Ты рада меня видеть?

Приветствие Андоры прозвучало вызовом.

– Ну, в общем... да. Конечно, рада. Но я вовсе не ждала твоего приезда, – растерялась Нина.

– Да, я знаю. Я хотела сделать тебе сюрприз. Даже Кармен не знает, что я поехала сюда, хи-хи-хи-хи!

Визгливое хихиканье Андоры заполнило прихожую. Она окинула девочку с головы до ног своим обычным колючим взглядом, от которого та вся съежилась.

Люба подошла помочь Андоре поднять чемоданы на второй этаж.

– Ты будешь спать в комнате Веры и Джакомо, рядом с Ниной. Она очень светлая, и в ней много воздуха, тебе понравится, – как всегда любезно сказала Люба.

Несмотря на то что няня старалась придать ужину теплую и дружескую атмосферу, вечер был испорчен напрочь, Нина ела мало и без всякого аппетита.

Прежде чем покинуть кухню, Андора улучила момент и незаметно бросила в Нинин стакан с водой очень сильное снотворное. Видимо, зловредная тетка задумала совершить какую-то пакость!

Ровно в 21.00 Нина легла в постель и заснула глубоким сном. Через несколько минут Андора вошла в комнату девочки и распылила снотворное, чтобы усыпить еще и кота с собакой.

Наконец-то она была свободна в своих действиях!

Андора подошла к постели Нины, зажгла лампу, стоявшую на комоде, и начала шарить в ящиках и шкафах в поисках магических предметов и тайных записей, касающихся Шестой Луны. Она нашла стеклянный шар, которым открывалась лаборатория виллы, но не поняла его назначения, поэтому отложила в сторону. Посмотрела на девочку: та спала и, судя по ее безмятежной улыбке, видела прекрасные сны. Андора заметила, что сморенная сном Нина даже не успела раздеться. Из одного кармана комбинезончика свисал какой-то шнурок. Андора осторожно потянула его и вытащила медальон. Это был Ямбир. Нина забыла оставить его в лаборатории вместе с другими магическими предметами.

Андора с интересом стала разглядывать странный диск, украшенный чудными рисунками и символами древних цивилизаций. Она крутила его и так и эдак, но безрезультатно

– Интересно. Очень интересно, – проскрипела вредная тетка, поднимая взгляд на табличку в изголовье кровати, ту, что когда-то висела над кроватью Нины в Мадриде.

– Глупая девчонка! Погоди, скоро от тебя не останется и тени. Все твои мысли будут стерты. И никакие дети больше не смогут иметь ни желаний, ни фантазий, ни мыслей, – проворчала она и сплюнула на пол.

Она погасила свет и вошла в свою комнату. Усевшись на кровать, Андора положила рядом Ямбир и начала возиться с левой рукой, что-то откручивая в ней. Кисть руки отошла в сторону, и стала видна миниатюрная телекамера, которая позволяла передавать информацию прямо на монитор могущественного создателя и хозяина Андоры... князя Каркона.

Да, да, Андора и была тем самым любимым андроидом Черного Мага, которого он призвал в Венецию. Вот уже много лет, как Каркон внедрил андроида на место настоящей Андоры. Копия была настолько совершенна, что никто из семьи Де Ригейра не заметил подмены. Ни Кармен, ни Нина никогда ничего не подозревали, только профессор Миша интуитивно чувствовал что-то неладное и держался от Андоры подальше, хотя и не мог найти конкретных доказательств того, что она служит его вечному сопернику.

– Великий Каркон, я на вилле «Эспасия». Ты меня видишь? – спросила Андора.

– Дорогая моя, я очень рад, что ты в Венеции. К сожалению, мои маленькие андроиды еще не в форме после того, что устроила здесь эта противная девчонка вместе со своими дружками. Поэтому пока я мало что могу сделать. Тебе что-нибудь удалось разнюхать? – Голос Черного Мага звучал глуше обычного.

– Я дала снотворное Нине и украла у нее медальон, – ответила та, наводя телекамеру на Ямбир так, чтобы Каркон мог внимательно разглядеть его.

– Ммммм... странный предмет. Сейчас сделаю копию и отпечатаю, чтобы спокойно изучить и понять, что это такое. В любом случае он мне пригодится! Принеси его мне завтра утром, а потом займись поисками документов профессора Миши. И не забудь, что обязательно нужно выкрасть Талдом Люкс! – прохрипел Каркон и отключился.

На следующее утро четверо друзей прибыли на виллу в точно назначенное время, но Нина еще спала. Увидев их, Андора удивилась.

– Вы к Нине? – спросила она.

– Да, мы должны помочь ей подготовиться к экзаменам, – поспешил ответить Ческо.

– Ах да... экзамены. Но Нина еще спит, вы не смогли бы прийти позже? – попыталась выпроводить их Андора.

Но тут в прихожую вошла Люба.

– Нет, нет, не уходите, подождите, я пойду разбужу лентяйку. Через пять минут встанет.

Нечаянно взгляд Рокси упал на сумочку Андоры, и она заметила на ней отчетливо видимую букву К, такую же, как и у андроидов Каркона. Рокси подошла поближе и увидела, что сумочка полуоткрыта, заглянула в нее и узнала Ямбир. Как могло случиться, что такая важная для Нины вещь оказалась в чужой сумочке? Наверняка украдена!

Рокси приблизилась к Ческо и сообщила новость ему на ухо. Лицо мальчика приобрело озабоченное выражение, и он передал услышанное другим. Додо почесал макушку, не зная, что предпринять, а Фьоре с невинным видом подошла к Андоре и спросила:

– Вы родственница Нины?

– Да, я ее тетя Андора... вчера вечером я прилетела из Мадрида.

– Ах, Андора... да, да... Нина рассказывала о вас, – протянул Ческо, обходя вокруг женщины и внимательно ее оглядывая.

– Я немного поживу здесь, в Венеции, – пояснила тетя-самозванка.

Пока Ческо размышлял, как бы поаккуратнее вытащить из сумочки Ямбир, в зал вошла Нина.

Ребята пытались знаками показать ей, что волшебный медальон лежит в сумочке ее тети, но она никак не могла понять их странных жестов и кивков. И тут в комнату влетел Пла-

тон и задел стоящую на полу сумочку Андоры, из которой вывалился Ямбир.

Нина вскрикнула, Андора, пнув котенка, схватила медальон и побежала в сторону Каминного Зала. Ребята бросились за ней, крича:

– Воровка... воровка... верни Ямбир!

Люба, спускавшаяся по лестнице с пылесосом в руках, увидев эту сцену, так и остановилась с разинутым ртом.

– Безе, бросай пылесос под ноги Андоры. Она украла у меня очень важную вещь! – крикнула Нина.

Но Люба стояла столбом, не понимая, что происходит.

– Твое время заканчивается, противная девчонка! Каркон сломает тебе шею! – крикнула Андора, повернув в поисках укрытия в сторону Розового Зала.

Ческо схватил вазу и бросил ее в Андору, попав прямо в голову. Самозванка споткнулась о ковер и рухнула на пол. Ребята подбежали к ней и... громкий визг Любы разорвал тишину. Она увидела...

– Провода!.. Не трогайте ее! У нее из головы торчат электрические провода! – крикнула удивленная Нина.

– Боже! Так она не человек! – Люба была близка к обмороку.

– Это андроид Каркона, его необходимо уничтожить, – холодно сказал Ческо.

– Клянусь всем шоколадом мира, это не моя тетя! А где же настоящая тетя Андора? Неужели Каркон убил ее и заменил этим андроидом? Я должна узнать правду!

Нина опустилась на колени рядом с распростертым андроидом, схватила его за плечи и начала трясти.

– Скажи мне, скажи мне, что случилось с тетей Андорой? Говори, подлый андроид!

Нина была вне себя от ярости. Люба обняла ее за плечи, стараясь успокоить.

– Хорошо, хорошо, сейчас я успокоюсь. Эта куча металлического мусора доставляла мне столько страданий там, в Испании. Она отравляла жизнь и Кармен, и мне. Она обманула всех нас. Я хочу знать, где моя настоящая тетя Андора.

Нина взяла свой медальон, поднялась на ноги и отошла в сторону.

Внезапно изо рта Андоры полилась вонючая желтая пена, и электрические провода, торчащие из головы, начали искрить. Глаза андроида закрывались и открывались, и вдруг одним прыжком Андора вскочила на ноги и двинулась вперед. Ей не удавалось шагать ровно, и она шаталась из стороны в сторону.

– У-б-е-й-т-е-Н-и-н-у... у-к-р-а-д-и-т-е-Т-а-л-д-о-м... О-т-н-е-с-и-т-е-д-о-к-у-м-е-н-т-ы-К-а-р-к-о-н-у... – произносила она по слогам, дергаясь как одержимая, затем ноги ее подломились, она свалилась на пол, а из клубка проводов в разбитой голове вырвалось пламя, от которого загорелись ее волосы.

Ческо бросился в кухню, схватил кувшин с водой и вылил на Андору, потушив огонь. От этого кожа стекла с головы Андоры, открыв ужасный металлический череп.

Люба, теряя присутствие духа и силы, опустилась на пол рядом с пылесосом и попросила Нину поскорее выбросить из дома то, что осталось от робота.

– Не беспокойся, Безе, сейчас мы все приведем в порядок. Только поклянись, ты никогда никому не расскажешь о том, что здесь видела. Даже Кармен. Я сама о ней позабочусь, – предупредила девочка няню, возвращая Ямбир в свой карман.

– Ниночка, что ты затеваешь? – спросила Люба слабым голосом. – Умоляю, будь осторожной, ты еще маленькая девочка. Твой дедушка, увлекавшийся алхимией, умер. Не совершай той же ошибки, мое сердце не выдержит, если с тобой что-нибудь случится. Я умру тоже. Я никому никогда ничего не скажу, но будь, пожалуйста, осторожна.

Ребята подняли останки искусственной Андоры и понесли их в лабораторию.

– Сейчас, когда у нас в руках андроид, созданный Карконом, мы сможем разобраться, как он функционирует, на какие типы команд отвечает, что знает о планах Каркона, угрожающих Ксораксу. – Идея Ческо казалась гениальной.

Нина похвалила его, но высказала опасение:

– Каркон обязательно попробует связаться с Андорой, и если она не ответит, он примчит-

ся сюда искать ее. Надо исследовать андроида, и как можно быстрее. Но самое главное сейчас – запустить Ямбир и приготовить алхимический препарат. Мы не можем позволить Каркону овладеть нашими секретами. И потом... я хочу узнать, что сделал Каркон с моей настоящей тетей.

Нина посоветовала Ческо и Фьоре отвезти псевдо-Андору в Акуэо Профундис и передать Максу, чтобы он занялся исследованием ее устройства.

– Попросите Макса отнестись к работе как можно ответственнее. Я хотела бы, чтобы он сохранил и изучил чипы с памятью этого андроида. После этого займитесь жидкостью номер 8. Не забудьте, что время ее кипения – два часа. Я, Додо и Рокси проделаем то же самое с киноварью. Встречаемся через два часа.

Ческо и Фьоре спустились в люк, стащив туда останки Андоры, тогда как остальные принялись за работу в наземной лаборатории.

Рокси достала с полки банку с чистым серебром, а Додо – в которой была сера. Нина взяла в руку большую столовую ложку.

– Итак, мы должны приготовить препарат для пяти человек. Значит, нам нужно пять капель чистого серебра и две щепотки серы.

Перед тем как бросить все компоненты в тигель, она посмотрела на часы.

– Сейчас 10 часов 2 минуты и 5 секунд. Ровно через два часа препарат будет готов.

Рокси и Додо стояли перед камином с пылающими щеками и горящими глазами, внимательно следя за каждым движением юной алхимички, готовящей магический эликсир, который отправит их в прошлое.

Нина медленно помешивала серебро и серу, смесь кипела, постепенно превращаясь в пасту цвета охры.

Над тиглем поднимались серебряные облачка и почему-то пахло апельсинами.

Тем временем в Акуэо Профундис Фьоре и Ческо, также перемешав фиолетовую жидкость, поставили ее на медленный огонь.

Макс занялся своей работой: разложив на лабораторном столе андроида, он разбирал его, отвинчивая с помощью отвертки ноги, руки и другие детали.

– Отличная габота! Этот андгоид – маленький шедевг. Ее микгочипы совегшенны, а металл оболочки отменного качества. Насколько Кагкон негодяй, настолько же он искусный мастег.

Макс 10-п1 занимался своим делом с удовольствием, стараясь разобраться в загадочных механизмах и схемах, использованных в конструкции андроида.

Когда он размонтировал левую руку, то случайно включил маленькую телекамеру. Вскоре он заметил странное поведение миниатюрного механизма... и пришел в ужас!

Он понял, что перед ним телекамера, которая передавала куда-то все, попадавшее в объектив.

В ярости Макс стукнул по камере кулаком, разбив ее на куски.

– Она пегедавала! Пегедавала! Телекамега пегедавала все, что видела! Пегедавала пгямо

Кагкону! Теперь ему известно обо мне... он видел это место... он знает об Акуэо Пгофундис!.. Это очень сегьезно... Очень сегьезно! Тгевога! Тгевога!

Ческо сразу же осознал всю опасность случившегося.

Два часа прошли, жидкость вскипела, и с минуты на минуту появятся Нина и остальные ребята с готовым препаратом.

Макс задрапировал стены и потолок стеклянного куба темно-зелеными шторами, чтобы Каркон не смог обнаружить его, даже если опустится под воду, потом погасил почти весь свет и втащил в лабораторию антенну компьютера, выходившую в воду. Пришедшим Нине и ребятам Макс сразу же поведал о случившемся.

– Клянусь всем шоколадом мира, я этого не хотела! Если Каркону стало известно об Акуэо Профундис и наших секретах, мы в очень трудном положении. Но сейчас нельзя терять ни минуты. Мы должны запустить Ямбир и выпить приготовленный эликсир, – с жаром сказала Нина.

Девочка была права, нельзя было отложить задуманное, даже если Каркон видел и Макса, и подводную лабораторию. Ему еще надо отыскать ее. Вряд ли Каркон понял, что лаборатория находится под водой, на дне лагуны. Но скоро, очень скоро он сможет это понять. И не только это.

Черному Магу уже удалось создать копию Ямбира по изображению, переданному накануне Андорой, – осталось только разобраться, для чего служит этот загадочный медальон.

Благородная миссия Нины и ее друзей оказалась в опасности.

Глава десятая

Полет Гуги и остров Пасхи

– Вишиолоооооо... Вишиолооооо, иди сейчас же сюда! Смотри, они разбирают Андору, моего совершеннейшего андроида. Ну что ж! Маленькая негодяйка мне за это дорого заплатит!

Каркон и Одноглазый находились в мрачной секретной лаборатории в подземелье дворца и рассматривали на экране изображения, переданные телекамерой Андоры до того, как Макс разбил ее. Последние фотограммы демонстрировали лицо Макса 10-п1, компьютер Акуэо Профундис и часть экспериментального стола.

– Стало быть, у внучки Миши тоже есть андроид... и обратите внимание, какое электронное оборудование стоит в их лаборатории! – присвистнул Вишиоло, глядя на экран единственным глазом.

– Сам вижу. И хотел бы я знать, где на вилле спрятана эта проклятая лаборатория! Если бы нам удалось туда проникнуть, в наших руках оказались бы все тайны Шестой Луны, и нам удалось бы заблокировать все мысли детей Земли. Надо попытаться реанимировать

Андору. Я постараюсь установить контакт с какой-нибудь уцелевшей ее частью, в которой остался неповрежденный микрочип. Я сделаю так, что ни маленькая чума, ни ее глупый андроид этого не заметят.

Каркон показал Вишиоло медальон, который он воспроизвел по изображению, переданному Андорой.

– Этот предмет явно магический, но я пока не знаю, для чего он. Позови Алвиза и Барбессу и передай им мое задание: в течение двадцати четырех часов я должен знать, для чего он и как им пользоваться.

Тем временем Нина и ее друзья готовились отправиться в прошлое.

Смесь из серебра и серы еще дымилась, а фиолетовая жидкость, остывая, булькала в глиняной миске. Ческо протирал стекла очков, запотевших от пара, Додо сидел на табурете в ожидании дальнейших команд, Рокси и Фьоре проверяли алхимическую формулу.

– Сейчас я положу Ямбир на книгу «Дороги Мира», затем один за другим мы съедим по цветку мисиль, выпьем по восемь глотков серебра с серой и жидкость номер 8. После этого наши тела должны подняться над землей, а Ямбир укажет нам место, куда мы отправимся. Будем надеяться, что все пройдет как надо.

Нина казалась спокойной, тогда как ее друзья, особенно Додо, выглядели немного испуганными.

– Я возьму с собой Талдом Люкс и Перо Гуги, они нам понадобятся, – добавила Нина.

– А как мы вернемся назад? – робко спросила Рокси.

– Этого я не знаю... – ответила Нина в смущении.

– Отпгавляйтесь и возвгащайтесь поскогее. Мне не хотелось бы оставаться с Андогой надолго. Я опасаюсь... – В голосе Макса слышалась тревога и боязнь оказаться в лапах Каркона.

Нина поцеловала его в щеку и потрепала уши-колокольчики.

– Макс, ты хорошо знаешь, что времени не существует... мы исчезаем, но в реальности мы никуда отсюда не денемся. Сейчас 12 часов 10 минут и 5 секунд, столько же будет, когда мы вернемся.

Сказав это, Нина положила Ямбир на книгу, взяла миску с цветами Шестой Луны и раздала по цветку каждому из ребят.

– Медленно разжуйте и проглотите.

Оказалось, что это даже вкусно! Нина первой взяла чашку со смесью серебра и серы, поднесла ко рту и сделала восемь глотков. Так же поступили и остальные.

– Мммм... сладкая, как карамелька, – причмокнула Фьоре.

После того как каждый выпил еще жидкость номер 8, ноги ребят сами собой оторвались от земли, и они взлетели над полом почти на метр.

– Мы летим, в самом деле летим! – восхищенно воскликнул Ческо.

Нина с Талдомом в руке смотрела сверху на Ямбир, лежащий на книге. Медальон начал светиться, и вокруг него образовалось кольцо красного цвета. Увеличиваясь прямо на глазах, оно окружило пятерых ребят, парящих в воздухе.

Внезапно сама собой открылась книга, и ее страницы начали быстро-быстро мелькать, пока не остановились на главе, посвященной острову Пасхи. От книги отделились три страницы и очутились прямо в руках Нины.

– Значит, нам лететь на загадочный остров – так подсказывает книга. На этих страницах рассказывается об острове Пасхи в Тихом океане, где находятся огромные статуи. Здесь какой-то рисунок, кажется, это карта. Мы вернемся на 4000 лет назад... фантастика! Не надо ничего бояться, Ксоракс и Талдом нас защитят.

Пока Нина произносила все это, красное кольцо все утолщалось, превратившись в све-

товой цилиндр, внутри которого и оказалась пятерка друзей.

И вдруг стало так темно, словно глубокой беззвездной ночью. Никто ничего не видел. Фьоре завизжала от испуга, а за ней все остальные.

– Возьмемся за руки! И не надо пугаться! – перекричала всех Нина.

Но порыв сильного ветра оторвал их друг от друга и закрутил в вихре холодного воздуха. Кувыркаясь и вращаясь, они неслись по гигантской трубе, в конце которой виднелся яркий свет, приближавшийся с огромной скоростью.

Но вот они вылетели из туннеля, и холодный ветер внезапно сменился теплым ласковым бризом. Ребята огляделись и обнаружили, что они уже не в Акуэо Профундис. Они медленно парили в пространстве, у которого не было ни неба, ни земли, ни начала, ни конца.

Неожиданно для всех рядом появилась большая и красивая птица. Она пела, и ее сладкоголосое пение успокоило их и прогнало страх.

– Это же Гуги! Но... Гуги живет на Ксораксе! Как же она попала... к нам? – поразилась Нина.

– Точно, Гуги! Она великолепна! Смотрите, какие у нее красивые золотые крылья! – вскричал Ческо, рукой придерживая очки на носу, чтобы не слетели.

Гуги подлетела поближе, помахала чудными ресницами, посмотрела на Нину, подхватила ее клювом и посадила прямо себе на голову, а остальные ребята расположились на ее огромных золотых крыльях.

Нина вскинула вверх руку с Талдомом:

– Ура! С нами Гуги! Вперед на остров Пасхи!

Гуги открыла клюв и улыбнулась, потом поджала к животу единственную ногу и стала наращивать скорость.

Вскоре ребята, вцепившиеся в могучие крылья птицы, заметили, что появилось небо, по которому летели легкие желтоватые и оранжевые облачка, а посмотрев вниз, увидели бескрайний синий простор океана, по всей вероятности, Тихого, с резвящимися дельфинами и фонтанами китов-полосатиков. Гуги начала медленно снижаться, и за стеной волн, разбивающихся о каменные утесы, появился остров Пасхи, или, на языке древних его обитателей, народа маори, Рапа Нуи.

Птица низко пролетела над Танга Поепое Теокопи, странным строением в форме лодки, возвышавшимся на пустынном песчаном берегу. Передняя часть лодки была 14 метров высотой и 26 длиной, тогда как задняя – 6 и 10 метров соответственно. Ребята с любопытством разглядывали сверху этот гигантский каменный корабль. Гуги плавно спланировала на черную, как смола, землю, подняв тончайшую темную пыль, осевшую на волосах и одежде ребят.

Вокруг древней постройки виднелись вулканические скалы и бескрайняя вечнозеленая прерия.

Приземлившись, птица сделала три огромных прыжка, остановилась возле строения, закрыла голову крыльями и задремала. Ребята оглядывались вокруг в надежде кого-либо увидеть, но тщетно.

Не успела Нина сделать несколько шагов по пыльной земле, как Талдом в ее руке неожиданно завибрировал, словно его било электрическим током.

– Не двигаться! – приказала встревоженная Нина.

Из головы птицы на рукоятке Талдома в сторону корабля вырвался луч красного цвета.

– Теперь идем, – сказала Нина. – Луч указывает нам направление.

Красный луч привел их на огромный корабль, вырубленный из вулканической скалы, и остановил у деревянного столба высотой метров двадцать.

– Интересно, где это мы, – оглядывался вокруг Ческо.

Нина достала страницу из книги с картой острова.

– Итак, мы здесь. Вот этот корабль под названием Танга Поепое Теокопи, от этого места прямо на юг тянется красная линия. Видите, в ее конце крестик и надпись: Акаханга. Я думаю, нам туда.

Додо, уставший от стольких впечатлений, прислонился было спиной к столбу, но неожиданно верхушка столба дрогнула и стала медленно сгибаться над его головой.

– Осторожно, столб падает! – закричала Рокси.

Однако верхушка не упала, а, встав под прямым углом к нижней части столба, привела в действие секретный механизм, открывший вход в носовую часть корабля. Камень, служивший дверью, на глазах замерших от изумления ребят сдвинулся в сторону.

– Ну что ж, пойдем посмотрим. – Сжав в руке Талдом, Нина первой вошла в проход, который вел в глубь сооружения.

– Ничего не видно, тут сплошная темень! – крикнула она, пройдя несколько шагов.

Ческо положил ей руку на плечо, за его плечо уцепился кто-то из ребят и так далее – образовалась цепочка.

Вулканическая почва была рыхлой, и ребята с трудом пробирались вдоль темного прохода, заваленного камнями.

Все закончилось общим падением. С синяками, обсыпанные черной пылью друзья очутились внутри гигантской пещеры со светящимися стенами из белого стекла. Пол пещеры представлял собой луг с голубой прозрачной травой. Лежа рядом друг с другом, ребята в изумлении озирались по сторонам. Это странное место совсем не походило на внутренние помещения корабля. Здесь не было ни кают ни трапов. Просто пещера.

Первым поднялся на ноги Ческо: при падении он потерял очки и теперь искал их на ощупь в траве.

Фьоре села и посмотрела вверх: потолком пещеры служила темная мраморная плита. Затем осмотрелась по сторонам и на самом горизонте заметила какую-то постройку.

– Эй, смотрите, там кто-то живет! – ткнула она пальцем в ту сторону.

Нина поднялась с земли и, сжав Талдом, сверилась с картой.

Рокси сорвала пучок травы, понюхала и положила в карман.

– Очень красивая, никогда такой не видела... пахнет морем...

Ческо наконец нашел свои очки, одно стекло которых треснуло, и ребята отправились к дому. И только когда добрались, увидели, что у него нет ни окон, ни дверей. На одной стене была выбита надпись на языке Шестой Луны.

В ВОСЬМОМ МОАИ

ТВОЕ НАЧАЛО

СДВИНЬ КАМЕНЬ

НАЖАВ ТАМ

ГДЕ РАСПУСКАЕТСЯ РОЗА

Нина, которая уже хорошо знала язык Ксоракса, легко перевела начертанное.

– Моаи? Это что? – спросила Фьоре.

– Я думаю, это название знаменитых ста... ста... статуй острова, – предположил Додо.

Нина внимательно осмотрела стену здания и в одном месте обнаружила вырезанный цветок розы. Она положила на цветок руку и толкнула. Мраморный потолок пещеры сдвинулся, открыв голубое небо.

– Вперед, нам надо подняться по склону, – сказала Нина.

С большим трудом ребята преодолели подъем и были вознаграждены за это фантастическим зрелищем: едва они достигли вершины склона, как перед ними простерлась Акаханга, бескрайнее поле, посреди которого стояли двести огромных моаи, загадочных статуй острова Пасхи с гигантскими головами. У всех статуй были вытянутые лица, длинные уши, приплюснутые носы, и глаза их смотрели в одну и ту же сторону.

– Клянусь всем шоколадом мира, это Акаханга! И это знаменитые статуи острова Пасхи! Никто до сих пор не понял, для чего они были сделаны и что значили для местных жителей. Кто знает, какие тайны они хранят. Смотрите, они все смотрят в одну точку неба. Может, они смотрят в сторону Ксоракса! – Голос Нины дрожал от волнения.

– Своими длинными ушами и грустными лицами они нагоняют на меня печаль, – заметила Рокси.

– Нина, нам надо отыскать восьмую статую, так было написано на стене, – напомнил Ческо. И несмотря на то что из-за разбитого стекла он плохо видел, он первый побежал к статуям.

Найти восьмого моаи оказалось нелегко. Ведь всего их было двести!

– Надо разделиться, тогда на каждого будет по сорок. Я еще не знаю, как мы его узнаем, поэтому смотрите в оба, – предупредила Нина.

Ребята разделились и принялись осматривать каждую статую в поисках какого-нибудь особого признака, но это казалось бессмысленным, потому что все статуи были похожи одна на другую, как клоны. Высеченные из вулканического камня, они были доставлены неизвестно как на это бескрайнее поле и поставлены в ряд лицами в сторону Тихого океана.

Что выражали эти гигантские хмурые лица, которые, казалось, хранили какую-то важную тайну? Но что? Никому до сих пор не удалось ответить на этот вопрос.

– Нашел, на... на... нашел, бегите сюда! – раздался радостный крик Додо.

Нина подбежала первой и сразу же заметила, что эта статуя отличается от других. В том, что это именно та, которую они искали, Нина убедилась, увидев выбитую у самого основания цифру 8 и надпись на языке Шестой Луны:

КСОРАКС

– Ты молодец, Додо! Это слово на ксоракси-анском языке!

Нина приложила Талдом к надписи, и голова статуи повернулась в другую сторону. Ее глаза налились красным светом и отбросили в небо два ярких луча. На остров внезапно опустилась ночь, залив все темнотой. Раздался оглушающий грохот, земля задрожала, словно началось землетрясение, и изо рта статуи вырвался мощный фонтан воды. Ребята в ужасе прижались к статуе, а Нина вновь приложила Талдом к надписи и крикнула:

– Ксоракс... Ксоракс! Это – Нина, девочка Шестой Луны, я здесь, на острове Пасхи, чтобы помочь тебе!

Фонтан мгновенно перестал бить, и статуя заговорила:

Мы – Моаи, стражи неба,
Уже сорок тысяч лет
Мы защищаем Ксоракс.
Мы – Моаи, мыслящие камни,
Которые собирают мечты и мысли детей
И передают их на Ксоракс.
Мы – Моаи и уже давно опустели,
Потому что Зло поразило нас
И помыслы детей не доходят до нас.

Сверкая пламенными красными глазами, статуя замолчала. Додо упал на землю и закрыл руками голову, Рокси и Фьоре тряслись от страха, Ческо не дыша сидел на траве. Нина сделала глубокий вдох и, преодолевая волнение, обратилась к статуе:

– Что мы можем сделать, чтобы детские мечты вернулись к вам?

Зажги нам очи,
Возроди наши надежды,
Подари мечту каждому из нас.
И счастье вернется в наши сердца,
И небо заполнится ласточками,
Которые принесут на своих крыльях
Новые детские грезы.

Глаза статуи погасли, и голова медленно вернулась в прежнее положение.

Нина, вдохновленная этой странной и лишь ей одной понятной речью, подняла Талдом, нажала на глаза Гуги и направила вырвавшиеся из них лучи в полые глазницы статуи.

Статуя вздрогнула, и вслед за ней, одна за другой, все двести гигантских моаи осветились красным светом. Нина направила лучи прямо в их глаза.

Небо вновь стало голубым, и тысячи ласточек понеслись над островом. Это мечты детей всего мира возвращались на их крыльях! Растроганные ребята радостно смотрели на них и не могли сдержать счастливых слез.

Но у моаи номер 8 имелся еще один сюрприз для Нины: как только две ласточки сели на нос статуи, из ее рта выпала длинная деревянная дощечка и спланировала к ногам девочки. На одной ее стороне были начертаны письмена, на другой – изображение человека, старика маори. На правой руке древнего жителя острова Пасхи виднелось маленькое родимое пятно в виде звезды, такое же, как у Нины и ее деда.

– Смотрите, смотрите! – протянула она дощечку ребятам. – У него такая же звезда на руке, как и у меня... Клянусь всем шоколадом мира, я чувствую, это мой предок! Он жил здесь. Он был Белым Магом народа маори! Он мое начало!

Нина говорила возбужденно, глаза ее сверкали, словно яркие звездочки.

Ребята окружили ее, кто старался обнять, кто просто улыбался ей. Ческо снял очки и торжественно произнес:

– Ты – девочка Шестой Луны. Ты вернулась издалека на свою землю. И мы очень рады быть с тобой здесь... на острове детских грез...

Нина с благодарностью взглянула на него и, сев под статую, принялась переводить надпись на дощечке:

Сидя в тени моаи, Нина пыталась понять смысл этого красивого, но тревожного послания Хамои Атури – ее магического предка, жившего много-много веков назад в этом святом для нее месте, где когда-то зародилась жизнь, которую сегодня продолжает она, Нина, и куда привела ее судьба.

– Хамои Атури пишет, что мои глаза обретут силу огня, который защитит нас от злого человека, – сказала она, обращаясь к ребятам. – Я пока не знаю, что это означает, но нам надо быть готовыми к самому худшему. Я думаю, нам надо найти Гуги, чтобы в случае чего мы могли бы быстро вернуться домой.

Рокси, не дослушав до конца слова Нины, сунула руку в карман и достала пучок голубой травы, сорванной в пещере. Солнечные лучи упали на травинки, и они сделались твердыми, как стальные иголки.

– Смотрите, что произошло с травой! Это же острые иглы!

Нина с интересом взяла одну травинку из ее рук, но это почему-то произвело столь странное воздействие на Талдом, что он вдруг задрожал. Травинка, ставшая стальная иглой, выскользнула из пальцев Нины и вонзилась прямо в один из двух камней, служивших Гуги глазами. Талдом завибрировал с такой силой, что Нина не смогла удержать его, и ей на помощь бросился Ческо, вцепившийся в жезл обеими руками.

Перепуганная Рокси бросила на землю травинки, которые сжимала в ладошке, но иголки, вместо того чтобы упасть, взлетели к небу, словно притянутые магнитом.

Все подняли глаза, следя за полетом этих тонких стрел, которые множились прямо на глазах и сейчас уже закрывали большую часть неба. Нина с помощью Ческо пыталась выдернуть голубую иголку из глаза Талдома, но безуспешно. Звезда на ее ладони снова начала темнеть.

– Моя звезда становится черной!.. Ребята, нам грозит опасность! – забила тревогу Нина.

Внезапно небо над островом тоже стало темнеть, подул студеный ветер.

– Смотрите, солнце гаснет, и ласточки исчезли. Эта подлая трава закрыла остров металлическим экраном! – крикнула Фьоре.

Ребята побежали к статуям, медленно покрывавшимся льдом. В течение нескольких секунд температура опустилась ниже нулевой, и от холода стало трудно дышать. Лед сковал гигантские океанские волны, не дав им опуститься на песчаный берег. Остров Пасхи стал походить на Северный полюс.

– Что пппппппроизошло? Я зззззамерзаю!.. Нина, позови Гуги, надо поскорее улететь отсюда, – застучал зубами Додо.

И в этот момент стальное небо озарилось яркой молнией, которая ударила в статую, разнося ее на куски. Над обломками поднялось облако черного дыма, и когда оно рассеялось, перед изумленными ребятами предстал во всем своем безобразии Каркон.

– Каркон! Проклятый негодяй! Откуда ты взялся?

Нина, сжав зубы, с ненавистью смотрела на дьявольскую фигуру преследующего ее Черного Мага.

Сатанинский смех Каркона разнесся по всему острову. В одной руке он сжимал Пандемон Морталис, другой отбросил в сторону полу фиолетового плаща и продемонстрировал висящий у него на груди Ямбир, который ему удалось воспроизвести.

– Ямбир? Ты украл у нас магический медальон? – Ческо не верил своим глазам.

Нина чуть не потеряла сознание, представив, что Каркону удалось проникнуть в Акуэо Профундис и добраться до секретов Ксоракса и до Макса...

– Ха-ха-ха-ха-ха-ха!.. Нина, ты недооценила меня. Я очень могущественный Маг, самый сильный во Вселенной. Тебе не победить меня, потому что ты всего лишь глупая девчонка. Видишь это? – Он ткнул пальцем в Ямбир на своей груди. – Я его скопировал с твоего. Это клон. Совершенная копия. За что я благодарен моему любимому андроиду, Андоре. Теперь и я могу проникать в прошлое. Вслед за тобой. Куда бы ты ни отправилась.

Каркон загнал их в угол, ребята уже не верили, что им удастся вернуться живыми с острова.

«Так это только копия! Значит, он не был в подводной лаборатории и ничего не знает о моих контактах с Ксораксом», – радостно подумала Нина, и это придало ей сил и уверенности. Битва со Злом еще не окончена!

– Андора, мерзкий андроид, в моих руках и разобран на составные части. Тебе его не спасти. Скажи мне, куда ты дел мою настоящую тетю! – крикнула она со злостью.

– Ха-ха-ха! Сжег живьем. От нее остался один пепел. Я убил ее много лет назад, ты была еще маленькой и жила в Москве со своими родителями. Я создал андроида по ее подобию, уже зная, что однажды ты переедешь жить к ней в Мадрид. Я довел тебя до отчаяния, я знаю. Ты представить себе не можешь, как я этому рад! А сейчас, безмозглая девчонка, ты навсегда прекратишь думать об алхимии. Как я уничтожил твоего деда, так уничтожу и тебя!

От каркающего голоса Каркона ребят все больше охватывал ужас. Собрав остатки храбрости, Нина подняла вверх руку, сжимавшую Талдом, и крикнула, почти потеряв надежду:

– Стальная игла лишила Талдом его волшебной силы, и я не могу противостоять негодяю. Звезда! Воссияй красным светом и дай мне силы победить Зло!

Каркон захохотал и привел в действие Пандемон, целясь в ненавистную девчонку. Но Нина вскочила на ноги, и сильнейший электрический разряд попал в камень, на котором она только что сидела, превратив его в пыль. Нина с силой вырвала голубую иглу, вонзившуюся в Талдом, и, подпрыгнув вверх, зависла в воздухе. Глаза птицы на Талдоме вспыхнули красным огнем и выпустили два луча, которые попали прямо в копию Ямбира на груди Каркона и проделали в нем дыру. Каркон с изумлением посмотрел на медальон и взлетел в воздух выше Нины. Спрятавшись за ста-

туи, дрожащие от страха и волнения ребята следили за дуэлью девочки Шестой Луны и дьявольского Зла под стальным небом острова Пасхи.

– Умри, несчастная ведьма! – Каркон трижды повернул Пандемон, и молния обожгла Нине бок.

Девочка вскрикнула от боли, и звезда на руке стала еще чернее. Она дважды нажала на глаза Талдома, и засиявший из клюва луч угодил Каркону прямо в нос. Он потерял равновесие и грохнулся на землю, выронив Пандемон.

– Гуги, Гуги! На помощь!.. Мы здесь, прилети за нами! – изо всех сил крикнула Нина, надеясь, что волшебная птица, ожидавшая их на другой стороне острова, услышит ее призыв.

Каркон одним прыжком вскочил на ноги, поднял свой меч, однако Нина была готова к нападению и тремя красными лучами Талдома парализовала его ноги. Каркон успел выстрелить в нее восемью ядовитыми железными стрелами. Нине удалось увернуться от семи, но последняя вонзилась ей в левое плечо. Теряя последние силы, Нина успела еще раз разрядить Талдом.

– Гуги! Гуги! Смотрите, Гуги летит! Сюда! Сюда! – замахала руками Фьоре.

Птица Ксоракса услышала призыв Нины и летела спасать ребят. Сложив крылья, она понеслась на Каркона. Изумленный и напуганный неожиданным появлением странного заступника, Каркон схватился за разбитый медальон и произнес заклинание: «Хочу убраться из прошлого во имя спасения своей жизни!», и на том месте, где он только что стоял, остался лишь фиолетовый плащ, превратившийся в лужицу воды. Каркон бесследно исчез.

Обессилевшая от ран, Нина опустилась на землю.

– Вытащите у меня из плеча ядовитую стрелу, – попросила она слабеющим голосом подбежавших друзей.

Их опередила Гуги. Птица, покачав головой, отогнала ребят и осторожно клювом вынула стрелу из плеча девочки, затем похлопала над ней крыльями, и на рану посыпалась золотая пыль, отчего та зажила прямо на глазах. Золотое облачко разрослось, обволакивая все кругом. Свинцовые тучи над островом стали рассеиваться, и во всей своей красе явилось солнце и обогрело остров и океан, растопив лед, которым покрылись статуи. В небе вновь понеслись стаи ласточек, и моаи вернулись к своим обязанностям: притягивать и собирать мысли и мечты детей Земли.

Еще один шаг к спасению Ксоракса был сделан. Гуги вновь посадила Нину себе на голову, ребята уселись на крыльях, и чудо-птица взмыла в небо и трижды облетела вокруг поля с каменными гигантами. Их голов не было видно из-за тысяч летающих ласточек. Небо было голубым и бездонным, в глубоких водах океана ныряли стайки дельфинов и плавали киты-полосатики.

Ребята в последний раз взглянули на остров, мысленно прощаясь с ним. С высоты полета он казался маленькой черной точкой посреди безбрежного океана.

Нина погладила голову Гуги, вытащила из кармана дощечку и поцеловала изображение предка, Хамои Атури. Она нашла свои корни, и это было здорово. Но то, что ей удалось нанести еще одно поражение Каркону и восстановить связь между Землей и Ксораксом, наполняло девочку особой гордостью. Однако к этому примешивалось чувство огорчения: проклятый Маг смог создать копию Ямбира и воспользоваться им. Борьба со Злом не закончена, и убийца Каркон все еще угрожает безопасности Шестой Луны. Нина с грустью подумала о тете Андоре и ее ужасной смерти, за которую она должна отомстить. О том, как объяснить маме, папе, Кармен и Любе, что тетя Андора была убита Карконом, а та, что заняла ее место, была на самом деле андроидом и пособником убийцы.

Все это занимало мысли Нины, пока Гуги стремительно неслась к Акуэо Профундис. От тревожных раздумий у Нины защемило сердце. Она положила голову на мягкие перья Гуги, которая обернулась и, увидев грустное лицо девочки, начала свою сладкоголосую песню, прогнав печаль из ее души.

– Смотрите, смотрите, виден край неба! – воскликнул Ческо, показывая в сторону горизонта, вдоль которого с огромной скоростью перемещались белые облака, закручивавшиеся штопором.

Гуги резко замедлила полет и так сильно замахала крыльями, что ребята не смогли удержаться на них и полетели вниз, в воронку ледяного вихря, в кромешную тьму. Их кружило и кувыркало. Вдруг сильный красный луч пробил мрак, ослепил их, и... они шлепнулись на пол Акуэо Профундис.

– Я умер? – спросил Додо, не разжимая век.

– Мы дома, ребята. Открывайте глаза, мы вернулись, – успокоил всех Ческо.

На циферблате было 12 часов 10 минут и 5 секунд. Макс сидел на том же табурете и ковырялся в электрических цепях и механических соединениях андроида Андоры, безжизненно распластавшегося на столе.

Увидев ребят, Макс расплылся в улыбке и помахал им рукой.

– Вставайте, вставайте. Каникулы на остгове Пасхи закончились. Здесь, к счастью, ничего не случилось. Кагкон не пгишел за Андогой, и она больше не опасна. Вставайте, лодыги, у нас много габоты.

Нина посмотрела на него и засмеялась.

– Знаешь, почему Каркон не пришел сюда? Потому что в это время он заявился на остров Пасхи. Этот негодяй сделал копию Ямбира!

– Пгавда?.. Тогда это дело гук Андогы! Я чувствовал, что наши секгеты в опасности. Надо сгочно уничтожить пгоклятого андгоида.

И он схватился за отвертку.

– Подожди! – остановила его Нина. – Лучше не уничтожать его, а исследовать и разобраться, как он действует. Надо постараться узнать, что находится в памяти его мозгового микрочипа. Каркон сказал, что сжег мою настоящую тетю... но я ему почему-то не верю. Быть может, она жива, и он где-то ее прячет.

Ребята поддержали Нину:

– Она права, Макс, мы с ней согласны. Давай займемся этим андроидом.

Ребята вскочили на ноги и вдруг заметили, что по полу растекается оранжевая лужа. Нина пощупала карман комбинезона и обнаружила, что он абсолютно мокрый.

– Это же дощечка Хамои Атури!

Она сунула руку в карман и достала разломанную надвое истекающую оранжевой жидкостью дощечку. Она была сделана из магической жидкости, остававшейся твердой в течение почти 4000 лет!

Нина попробовала ее на вкус.

– Очень сладкая... – Она не успела закончить фразу, как жидкость на полу начала принимать форму букв, которые сложились в слова на языке Шестой Луны:

ВЫПЕЙ МЕНЯ

Нина схватила стеклянную трубочку, лежавшую на лабораторном столе, и втянула через нее оранжевые слова на глазах у пораженных ребят.

Проглотив жидкость, Нина почувствовала сначала легкое жжение, затем боль, которая скрутила ее пополам.

– Ой, как больно... мне плохо!

Ческо и Макс подхватили ее и уложили на стол, рядом с механической Андорой.

– Это был яд! Нина в опасности! – всполошился Додо.

Макс успокоил его.

– Ничего стгашного. Нине ничего не ггозит. Пгосто она должна выплюнуть одну вещь. Это необходимо.

– Выплюнуть? Какую вещь? – оторопели ребята.

– Сейчас увидите. Потегпите немного, – ответил Макс, который, как и прежде, знал, что должно произойти.

Нина напрягла спину, села, кашлянула – и из ее рта на пол упал листок бумаги.

Макс поднял его и протянул Нине, у которой от волнения дрожали руки. Это была белая страничка с оранжевыми буквами. Нина начала читать вслух то, что на ней было написано.

Ты нашла свое начало.
Но это только первый шаг на твоем пути.
Тебе уже известно,
С чем тебе предстоит встретиться,
Поэтому советую тебе
Изучать алхимические формулы.
Ты станешь еще сильнее и спасешь Ксоракс.
Ласточки носятся по небу,
Пролетают над странами,
Собирают мечты и надежды детей.
Благодаря тебе моаи снова смогут
Передавать их на Ксоракс, но этого мало.
Существуют другие древние народы,
Которые уже долгое время
Не имеют возможности
Сообщаться с Шестой Луной.
Есть – ЧЕТЫРЕ ТАЙНЫ,
Которые тебе предстоит раскрыть,

Чтобы спасти Ксоракс.
На острове Пасхи тебе
Покорилась ПЕРВАЯ ТАЙНА

Запомни эти слова.
С тысячелетней любовью
Твой пра пра пра пра пра пра прадед

0000001

– Клянусь всем шоколадом мира, это письмо от Хамои... Он пишет о ПЕРВОЙ ТАЙНЕ, но до этого я не знала, что нужно было искать какие-то тайны. Странно, очень странно. – Нина вытерла губы, липкие от оранжевой жидкости, сложила письмо и спрятала его в нагрудный карман комбинезона, где у нее уже лежали Талдом и Перо Гуги.

– Ты должна изучить алхимические формулы, иначе мы не сможем двинуться дальше. Просмотри черную тетрадь профессора Миши, может быть, там отыщешь ответ, – посоветовал Ческо, помогая ей сойти со стола.

Макс покачал гладкой лысой головой и возразил:

– Мы не можем сейчас тегять на это вгемя. Мы все еще в опасности. Гано или поздно Каг-кон пгидет сюда. Он видел изобгажение Акуэо Пгофундис и мое лицо. Я газбегу на части Ан-догу и тщательно изучу ее, а вы должны поломать головы над тем, как защитить нашу ла-богатогию.

Рокси обняла Макса и поцеловала его в лоб, чтобы успокоить, после чего все принялись за дело.

Глава одиннадцатая
Мужество Сбаккио

Люба сидела на диване в Розовом Зале и вышивала цветы на большой скатерти. Она была очень расстроена телеграммой, которую только что получила из Москвы:

«Нет возможности сообщить ваше горестное известие Вере Михайловне и Джакомо Де Нобили. Они находятся в суперсекретной экспедиции, не имеющей связи с внешним миром. Примите наши соболезнования», – гласил ее текст.

Всего несколько слов, которые Люба должна передать Нине, но они-то и приводили ее в отчаяние. К тому же она никак не могла прийти в себя после всего увиденного. То, что вместо Андоры в доме присутствовал андроид, явилось для нее глубоким потрясением. Она делала стежок за стежком и что-то бормотала себе под нос, но, едва заслышав шаги Нины и ее друзей, громко сказала:

– Вот и они. Кто знает, где они все время пропадают!..

Люба поднялась, отложила скатерть и отправилась на кухню.

– Безе, давай поцелуемся, – предложила Нина, спешившая ей навстречу.

– С тобой все в порядке? Куда вы дели этого мерзкого робота? – с тревогой спросила Люба.

– Не волнуйся, все в порядке. Сейчас я наделаю бутербродов и мы будем... готовиться к экзаменам. Отдыхай и не думай о том, что видела. – Нина крепко обняла няню и поцеловала ее в пухлую щеку. К сожалению, она ничего не могла ей объяснить. Люба протянула девочке телеграмму. Нина прочитала и нахмурилась.

– Нет связи с внешним миром. Понятно. Остается надеяться, что их экспедиция не слишком опасная. И что мы скоро все-таки увидимся. Мне так их не хватает, – печально сказала она, складывая телеграмму и пряча ее в карман. Люба погладила Нину по волосам, и девочка с нежностью посмотрела на нее огромными голубыми глазами.

– Я знаю, что они меня очень любят. Я потерплю. Я подожду. Они будут гордиться мною, – выдохнула она, подняла голову и направилась к друзьям.

Завтрак был недолгий, но основательный. Додо слопал четыре бутерброда с сыром и помидорами, остальные по нескольку хлебцев с шоколадно-ореховым маслом.

У Нины было тревожно на душе. Не только из-за родителей. Она думала о письме Хамои Атури и открытой Первой Тайне. Оставалось еще три. Поиск Тайн обещал быть сложным и долгим, если принять во внимание опасного Каркона под боком.

– Ребята, я пойду в лабораторию деда, постараюсь найти подсказку, как забрать у Каркона копию Ямбира, – сказала Нина, поднимаясь с кресла.

Ческо крутил в руках очки с треснувшим стеклом – память о путешествии на остров Пасхи. Нужно обязательно заменить его, может, Макс сумеет это сделать?

– Хорошо, отправляйся по своим делам, а мы вернемся в Акуэо Профундис. Может, Макс заменит мне стекло, а то я плохо вижу. Мы пока изучим план дворца Каркона, и когда ты освободишься, начнем действовать. Мы постараемся проникнуть в сиротский приют и заберем Ямбир.

Все согласились с предложением Ческо. Нина достала из кармана стеклянный шар, открыла дверь в лабораторию, отдала Кольцо Дыма Рокси, вставила ключ со звездой в отверстие люка, произнесла: «Куос Би Лос», и ребята отбыли в Акуэо Профундис.

Перелистывая черную тетрадь деда, Нина вчитывалась в алхимические формулы Шестой Луны в поисках нужного ответа.

– Так, так, мне необходима будет медь 7471104... она придает жизненные силы... выпить пятнадцать капель, когда небо очистится от туч... Отлично... сегодня солнечный день, и туч наверняка не будет.

Нина поискала среди банок ту, в которой находилась медь. Взяла ее и поставила на стол. Приготовила миску, поставила на огонь тигель и налила в него Акуа Перманентис, укрепляющую жизненную энергию: этому ее научил еще профессор Хосе. Добавив меди, начала помешивать смесь палочкой из дымчатого стекла, довольно хрупкого инструмента, который не давал смеси испаряться. Медные полоски мгновенно растворились, окрасив жидкость в красноватый цвет. Через 3 минуты и 22 секунды эликсир был готов. Нина перелила его в серебряную колбу и поставила охлаждаться рядом с пирамидой, хранившей зубы дракона.

С черной тетрадью в руках она ходила по лаборатории в поисках других магических субстанций, которые могли ей понадобиться сегодня.

– Так, что же надо еще?.. Капли меди дают силы, но этого мало... Ага, вот, – ткнула она пальцем в надпись на странице. – Кварц... кварц 7471107... временно блокирует души злых существ. Это может пригодиться в схватке с Карконом. Если отвлечь его внимание Талдомом и бросить ему в лицо кристаллики кварца, то он не сможет воспользоваться Пандемоном. Да, но против андроидов это не сработает, у них нет души. Надо искать другую формулу.

Нина продолжала перелистывать тетрадь, пока не остановилась на странице с описанием Сбаккио.

– Ага! Сбаккио 8833108, животное Ксоракса... отлично защищает во время схватки с врагом... его присутствие придает храбрости и уверенности. Он может быть даже очень полезным при встрече с андроидами!

Неуклюжий зверь с Шестой Луны, похожий на огромную коробочку хлопка высотой в полтора метра, с желтыми ушами и ртом действительно мог помочь Нине и ее друзьям в бою с Черным Магом и его искусственными помощниками.

– ...Он способен совершать огромные прыжки на ногах-пружинах и преодолевать любые препятствия... да, конечно, я должна сделать так, чтобы он прибыл на Землю.

Но как? Она могла бы погладить Перо Гуги, чтобы появилась сфера с Шестой Луной, но вряд ли такое крупное животное в нее поместится. Кроме того, Нина не знала, сможет ли Сбаккио существовать в атмосфере Земли.

Она решила спросить совета у говорящей Книги:

– Книга, могу ли я призвать сюда Сбаккио с помощью Пера Гуги?

Это может сказать только Этэрэя.
Пошли ей сообщение, и она тебе ответит.

Таков был ответ.

Значит, надо срочно связаться с Матерью Всех Алхимиков, но это можно сделать только с помощью компьютера, стоявшего в подводной лаборатории. Нина взяла серебряную колбу с раствором меди, горсть кристаллов кварца, черную тетрадь и помчалась в Акуэо Профундис.

Ее друзья, разложив план дворца Каркона на полу, отмечали на нем тайные переходы и коридоры здания. Увидев входящую Нину, они воскликнули:

– Ты уже все сделала? Мы можем отправляться?

– Почти. У нас есть нужный эликсир, который мы позже выпьем, есть кристаллы кварца, чтобы на какое-то время заблокировать душу Каркона от зла. Но мне в голову пришла идея заполучить сюда Сбаккио, который вселяет храбрость, – сообщила Нина.

– Сбаккио? – хором спросили ребята.

– Сбаккио? – поднял голову Макс, колдовавший над останками Андоры.

– Да. Животное в виде огромного белого клубка. Но нужно спросить у Этэрэи, сможет ли он прибыть сюда. Макс, включи, пожалуйста, компьютер и большой монитор, я должна отправить ей послание.

Нина была настроена решительно. Она открыла тетрадь на странице, посвященной Сбаккио, и показала ее Максу, который, отложив пинцет и отвертку, внимательно прочитал текст, уселся перед компьютером и длинными металлическими пальцами включил его.

– Номер кода Сбаккио – 8833108, – продиктовала Нина, и андроид набрал цифры на клавиатуре.

Как только он сделал это, на большом мониторе появилось изображение животного с подписью:

Сбаккио придает храбрость и, когда он доволен, пускает огромные мыльные пузыри.

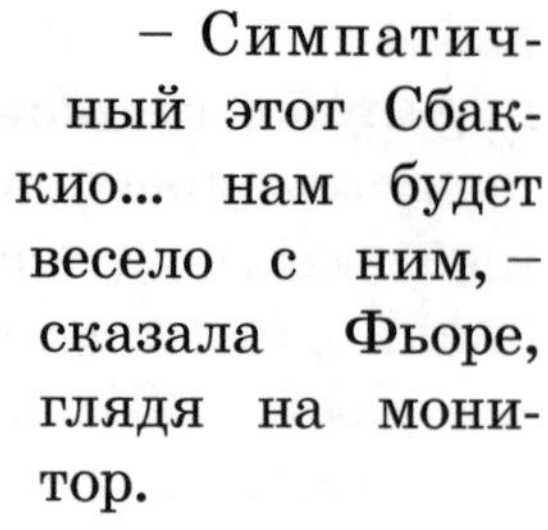

– Симпатичный этот Сбаккио... нам будет весело с ним, – сказала Фьоре, глядя на монитор.

– Макс, теперь сообщение для Этэрэи, – предупредила Нина и начала диктовать: – Сообщение для Матери Ахимиков от Нины 5523312. Мне необходим Сбаккио, могу ли я вызвать его на Землю с помощью Пера Гуги?

Изображение Сбаккио вдруг исчезло с монитора, словно связь с Шестой Луной резко прервалась. Спустя несколько секунд компьютер вновь включился, на экране появился яркий серебряный луч, и Нина услышала женский голос в своем мозгу. Это был голос Этэрэи. Телепатический мост работал отлично. Не было видно ничего, ни рта, ни глаз, лишь луч света пульсировал на экране.

Затем возникло изображение Талдома Люкс, золотого жезла, абсолютной копии того, что был у Нины. Женский голос произнес:

Это мой Талдом Люкс,
Возьми в руку свой.
Погладь Перо Гуги
И появится Ксоракс.
Произнеси три раза:
Олис Ассаф –
И нажми на глаза из гоазила.
Сделай это сейчас!

Нина, не отрывая взора от монитора, извлекла из кармана комбинезона Талдом и Перо Гуги и сделала все так, как ей сказала Этэрэя.

На гигантском экране Талдом Этэрэи начал вращаться по часовой стрелке, и рядом с ним появился Сбаккио. Животное скакало по полю и пускало мыльные пузыри. Затем из Талдома Этэрэи вырвалась голубая молния, ударившая в Сбаккио, и он исчез, оставив на том месте, где только что был, желтое пятно, которое медленно заполнило весь экран. А в Нинином мозгу вновь зазвучал голос Матери Алхимиков:

Погладь Перо и вызови сферу,
Возьми свой Талдом и введи его в нее.

Нажми четыре раза на глаза птицы,
И Сбаккио будет с тобой.
Прежде чем твое солнце начнет новый день,
Волшебное животное
Должно вернуться на Ксоракс.
Если он не успеет, то умрет.

Нина, я должна поблагодарить тебя:
Моаи передают мысли и мечты детей.
Твой дед Миша, Биров и Хамои
Гордятся тобой.
Сейчас ты владеешь Первой Тайной,
Но будь осторожна в своих поступках.

Слова о том, что дед следит за ее делами, наполнили девочку радостью, и она тихо сказала:

– Значит, я на правильном пути. Я это чувствую. Необходимо идти дальше.

Макс поднял вверх два пальца в знак победы, а остальные ребята сжали кулаки, демонстрируя, что полны решимости и мужества идти до конца. Нина отбросила волосы назад, вздохнула и взяла в руки Перо Гуги.

Когда появилась золотая сфера с изображением Шестой Луны, все сразу увидели яркое желтое пятно. Нина просунула в сферу Талдом и нажала на глаза птицы. Гигантский экран погас, желтое пятно вспыхнуло, сфера исчезла и... посреди лаборатории материализовался Сбаккио. У него были толстые ярко-желтые губы, плоский нос, глаза его были закрыты, а уши, желтые, как и рот, двигались без остановки.

– Привет, Сбаккио, добро пожаловать на Землю. – Нина протянула руку и дотронулась до его уха, казалось, сделанного из очень мягкой резины, тогда как тело животного походило на большой теннисный мяч, белый и пушистый. Сбаккио огляделся кругом, чувствуя себя не в своей тарелке, его ярко-желтые глаза, большие и круглые, вращались, как колеса. Ему никогда еще не приходилось бывать на Земле. Он привык к изумрудной поверхности Шестой Луны, к ароматным растениям и существам из света. Но, посмотрев на Макса, он засмеялся: с Максом он познакомился, когда дед Миша брал с собой андроида на Ксоракс.

Одним прыжком этот огромный белый цыпленок перепрыгнул к другой стене лаборатории, понюхал воздух и подошел к Нине: ее он видел на Ксораксе с Этэрэей. Его рот расплылся в широченной улыбке, и из него вылетел огромный мыльный пузырь.

– Он рад! Сбаккио радуется! Если он пускает пузыри, значит, очень доволен, – объяснила Нина друзьям, погружая руки в мягкую шерсть забавного зверюшки.

Пузырь летал по лаборатории, и Ческо любопытства ради ткнул в него остро заточенным карандашом, но пузырь и не думал лопаться, а, напротив, накололся без ущерба для себя на карандаш и полетел вместе с ним дальше.

– Эй, смотрите, пузырь очень крепкий и может переносить предметы, – сказал пораженный мальчик. – Сейчас попробую сунуть в него стеклянный флакон, посмотрим, что будет.

Пузырь выдержал и это испытание. Пузыри Сбаккио могли вмещать в себя предметы, не лопаясь.

– Интересно, очень интересно, – пробормотала Нина, наблюдая эту сцену.

Ребята окружили Сбаккио, который наслаждался всеобщим вниманием. Демонстрируя свою симпатию, Макс предложил ему полную ложку клубничного варенья.

– Он обожает клубнику, я знаю.

Сбаккио уселся за лабораторный стол, высунул желтый язык и облизал физиономию, испачканную вареньем.

– Нина, а ты уверена, что он храбрый? И сделает храбрыми нас? Посмотри, он же добродушный и совсем не агрессивный! – воскликнул Ческо, внимательно рассматривая животное, больше напоминающее большую плюшевую игрушку.

– Не говори глупостей! Если ты будешь поступать справедливо, он тебе поможет. На Ксораксе нет агрессивных животных. На Ксораксе не существует злости. И Каркона можно победить не злостью, а только умом и волшебством, – почти рассердилась Нина.

Макс согласно закивал головой, и Ческо, словно извиняясь, опустился на колени и погладил это подобие гигантского цыпленка.

– Все, ребята. Оставим Сбаккио здесь и выйдем в сад.

– В сад? Зачем? – изумилась Рокси.

– Мы должны выпить по пятнадцать капель медного препарата под открытым небом без облаков. Таково условие формулы. Потом вернемся, возьмем Сбаккио и отправимся за Ямбиром.

– Вы оставляете меня с ним одного? Но если он начнет здесь скакать, он же все газнесет. Он пгивык гезвиться сгеди лугов Шестой Луны, – заворчал Макс.

Он хорошо знал, что огромный магический цыпленок не может долго оставаться в закрытом пространстве.

– Мы вернемся минут через пятнадцать,– пообещала Нина, открыла дверь Акуэо Профундис и вышла.

– Подождите, есть идея: если мы раздвинем шторы, Сбаккио сможет видеть морское дно.

Он ведь никогда не видел ничего подобного. И какое-то время будет сидеть спокойно, наслаждаясь видом рыб и морских звезд, – сказала Фьоре, довольная собственной выдумкой.

– Замечательно, я так и сделаю! – ответил андроид и открыл шторы.

Сбаккио быстро завращал глазами и прижался носом к стеклу, с изумлением рассматривая странных рыб, совсем не похожих на его друга Куаскио, обитающего на Ксораксе.

– Ладно! Можете идти. Я успокоился! – Макс взял инструменты и вернулся к исследованию андроида.

Ребята покинули лабораторию и вскоре уже были в саду. С серебряной колбой и пипеткой в руке Нина прислонилась к стволу высокой магнолии и подняла голову к небу: солнце стояло высоко, и небо оставалось безоблачным.

– Открывайте рты, сейчас я капну по пятнадцать капель на язык каждому. Вы должны проглотить их, не сводя глаз с неба. И прошу вас, не закрывайте глаза, иначе препарат не подействует.

Все так и сделали.

Только Додо никак не решался открыть рот. Нина потеряла терпение:

– Если ты не выпьешь, не пойдешь с нами. Решай сам... сколько можно бояться всего и всех! Этот эликсир придаст тебе жизненных сил, и ты, по крайней мере, не будешь создавать нам проблем.

Додо чуть приоткрыл рот, Нина просунула в него пипетку, и трусишка уступил. Последней жидкость выпила Нина. Все смотрели друг на друга, ожидая действия магического эликсира. Эффект был поразительным: на лицах всех появилось гордое выражение, щеки заалели, глаза заблестели, тела напряглись и подтянулись. Даже Додо казался сильным и непобедимым.

Нина похлопала его по плечу и предложила вернуться в подводную лабораторию, забрать Сбаккио и план дворца Каркона.

На циферблате лаборатории было 18 часов 34 минуты и 15 секунд. У ребят было около десяти часов на то, чтобы проникнуть во дворец, отыскать и забрать Ямбир. И не забыть, что Сбаккио должен вернуться на Ксоракс до восхода солнца.

Ческо свернул план трубочкой, а девочки обеспокоенно посмотрели на Сбаккио:

– Он что, поплывет с нами в лодке до самого дворца?

– Конечно. У нас нет другого выхода. Мы выведем его отсюда, накрыв простыней, чтобы никто не увидел. Потом усадим в лодку и отчалим, – подтвердила Нина. Она взяла пакетик с кристаллами кварца, положила в карман, проверила, с ней ли Талдом, Перо и стеклянный шар.

– Не забудь, Кольцо Дыма у меня, – напомнила Рокси Нине. – И ключ со звездой от люка.

– Хорошо, положи их на стол и пошли. – Нина спешила, понимая, что дорога́ каждая минута.

Додо с красной простыней в руках подошел к Сбаккио и прошептал:

– Когда выйдем отсюда, я тебя накрою. И никто тебя не увидит.

В 18.50 они вышли из ворот виллы. Додо набросил простыню на Сбаккио. Вспомнив, что огромный клубок умеет только прыгать, ребята подняли его на руки и понесли к лодке.

Они не подозревали, что, спрятавшись за домом, за ними подглядывают посланцы Каркона, зловредные близнецы Алвиз и Барбесса вместе с Иреной и Гастило.

– Вон они, выходят из виллы, – прошептал Гастило, ложась на землю.

– А что это они тащат? – удивилась жестокая Ирена, прищуриваясь, чтобы лучше видеть.

– Какой-нибудь магический аппарат, который они сконструировали, – предположила Барбесса.

– Да уж наверняка какую-то важную вещь, – поддержал сестру Алвиз. – Они накрыли ее простыней специально, чтобы никто ее не увидел. Пошли за ними.

Заметив, что ребята садятся в лодку, близнецы побежали к пристани и вскочили на первый же катер в сторону Сан-Марко, оставив Ирену и Гастило наблюдать за виллой.

В лодке Сбаккио чувствовал себя крайне неуютно, то падая, то взлетая в ней на высоких волнах, поднимаемых катерами и лодками, оживленно снующими в этот час по каналу Джудекка. Ческо просунул руку под простыню и поглаживал огромного цыпленка, который, показывая, насколько это ему приятно, попытался пускать пузыри, но Ческо успел закрыть ему рот ладонью.

– Нет, только не это, а то наша лодка еще чего доброго взлетит... ха-ха-ха-ха!

Сбаккио подмигнул ему и тоже засмеялся. Лодку сильно качнуло. Рокси снизила скорость и направила судно поперек волн. Одежда ребят насквозь промокла от брызг, но это никого не беспокоило. На катере Алвиз и Барбесса, несмотря на значительное расстояние, наблюдали в бинокль за каждым движением ребят, но так и не могли понять, что у них спрятано под покрывалом. Доплыв до Сан-Марко, близнецы спрыгнули с катера, а лодка вплыла в узкий канал, который вел к дворцу Ка д'Оро.

– Они направляются к Каркону. Бежим во дворец! Надо предупредить князя.

Рокси притормозила лодку перед третьей по ходу канала излучиной, ведущей в потайной туннель, который, судя по карте, вел под здание.

– Это он! – подтвердил Ческо, вскакивая на ноги. – Первый и второй ведут в кухню и столовую. А этот наверняка использует только Каркон, потому что по нему можно попасть прямо в его подземную лабораторию.

Рокси выключила мотор, Ческо и Додо взялись за весла, и лодка бесшумно скользнула в туннель.

Через несколько метров они оказались перед глухой стеной с тремя мокрыми от воды ступеньками, выступающими из воды. Нина встала на первую, оглядела стену и увидела деревянную раму по ее периметру.

– Наверное, это дверь. Но нигде не видно замочной скважины. Надо найти механизм, который ее открывает, – обернулась она к друзьям.

– Может, надо произнести какое-нибудь заклинание, – предположил Ческо.

– Попробуй сильно толкнуть ее, – подсказала Рокси.

Нина изо всех сил толкнула дверь. Та не поддалась.

Сбаккио высунул из-под простыни голову и с любопытством вертел ею по сторонам.

– Давайте думайте, ребята. Мы не можем здесь торчать до бесконечности. Надо как-то открыть ее. – Нина начинала нервничать.

Деревянная рама двери была толстая, в некоторых местах изъеденная плесенью. Нина проверила каждый сантиметр в поисках щели, чтобы можно было поддеть раму, но безрезультатно. Тогда она достала из кармана Талдом, нажала на глаза птицы, и в тот же миг вырвавшийся луч ударил в дверь, но, увы, с тем же успехом.

– Надо же, даже энергия Талдома ее не берет, – удивилась Нина.

– Попробуй еще раз, только увеличь разряд, – посоветовала Рокси.

Нина дважды нажала на глаза птицы на Талдоме. На этот раз луч, ударившись о стену, вернулся назад в форме светового полукруга, повисшего перед лицом Нины. Она опустила Талдом и свободной рукой прикоснулась к лучу, который под давлением ее пальца начал менять форму.

Нина согнула луч буквой О, потом потянула его, преобразовав в букву С.

– Смотрите, этим лучом можно писать слова, – изумилась она.

– Попробуй написать букву К, как в слове Каркон, – предложил Ческо.

Отличная идея! Нина принялась пальцем моделировать из луча букву К.

Буква вспыхнула, повернулась вокруг себя пять раз и прилипла к стене, которая медленно отошла в сторону.

– Клянусь всем шоколадом мира, у нас получилось! – воскликнула Нина, потрясая Талдомом, словно военным трофеем.

Додо, Рокси и Фьоре выпрыгнули из лодки и присоединились к Нине, а Ческо, сняв покрывало со Сбаккио, помог ему выбраться на берег.

– Ничего не видно, тьма кромешная, – прошептала Нина, осторожно переступая маленькими шажками.

– У меня есть фонарик,– обрадовал всех Додо. – Сейчас включу.

В свете фонаря ребята увидели, что стены туннеля выложены маленькими растрескавшимися кирпичами, а пол весь в дырах и колодцах с вонючей водой.

– Конца не видно этому туннелю... Неизвестно, куда он приведет, – бурчала себе под нос Нина.

– Не волнуйся, – похлопал ее по плечу Ческо. – Я хорошо помню план, до входа в подземную лабораторию Каркона метров сто.

Рокси и Фьоре с трудом несли Сбаккио, который то и дело лизал им лица и пускал пузыри, довольный, что с ним так цацкаются.

– Эй, эй, перестань... пузыри могут заметить! – то и дело останавливал его Додо.

К тому времени Сбаккио уже успел выпустить несколько огромных пузырей, которые поднялись над головами ребят и носились от стены к стене. Внезапно по туннелю прокатилась волна горячего воздуха, сопровождаемая странным шумом, похожим на жужжание огромного количества мух.

Додо посветил фонарем вниз, и на земле...

– Мыши, смотрите, сколько мышей!!!

Сотни мышей темным ковром покрыли весь пол и двигались на ребят.

– Помогитеееее!.. Я их боюсь! – заверещала в ужасе Фьоре и выпустила из рук Сбаккио.

Гигантский теннисный мяч подпрыгнул, замер и, вращая глазами и двигая ушами, попытался сориентироваться в обстановке.

Нина, шедшая впереди всех, подняла Талдом, нажала на глаза птицы, и сильный луч снес первый ряд мышей, уже приготовившихся напасть на ребят. Оставшиеся в живых зверьки, ослепленные и оглушенные, замерли на месте. Одним прыжком Сбаккио перелетел через Нину и приземлился в самую гущу мышиной стаи. Грызуны встали на задние лапки, оскалились и затрясли черными усиками. Нина снова привела в действие Талдом, и магический луч поразил еще несколько десятков мышей. Додо, Рокси и Фьоре, взявшись за руки, двинулись на мышей, а Ческо, схватив один из огромных мыльных пузырей, выпущенных Сбаккио, сам, к своему великому удивлению, поднялся в воздух.

– Я лечу, ребята... я лечу! Пузырь держит меня, фантастика! Сейчас я атакую этих чертовых мышей сверху! – закричал он.

В это время все мыши как по команде набросились на Сбаккио и вцепились ему в уши, в нос, в спину.

Опасаясь задеть ксораксианского обитателя, Нина не могла воспользоваться Талдомом, а Ческо, который висел над ним на пузыре, стал хватать мышей руками и с силой швырять их на пол. Но мышей было слишком много, и часть их набросилась на мальчика, кусая его руки.

Острые зубы грызунов рвали мягкую кожу, и Ческо закричал от боли. Маленькие монстры Каркона оказались очень опасными: это были не простые мыши, а ядовитые. Одного их укуса было достаточно, чтобы лишить человека сознания или даже убить его.

Лицо Ческо побелело от боли, он почувствовал, как силы оставляют его.

– Мне плохо... – прошептал он и потерял сознание, откинувшись на пузырь, который медленно плыл под самым потолком.

– Ческо не дышит... он умер... О Боже, что делать! – вскричала потрясенная Рокси.

– Успокойтесь, сейчас разделаемся с этими грязными тварями. – Голос Нины звучал как никогда твердо и решительно.

Добродушный Сбаккио наконец-то понял, что ребятам грозит смертельная опасность, и решил пожертвовать собой ради их спасения. Не обращая внимания на укусы, Сбаккио начал вращать ушами с огромной скоростью, словно винтом вертолета. Вихрь воздуха подогнал к месту побоища остальные три пузыря, на которых ребята могли бы спастись, поднявшись к потолку.

– Ческо без сознания... И теперь все мыши набросились на Сбаккио! Они его загрызут! Мы должны спасти его! – задыхаясь от волнения, крикнула Фьоре.

– Хватайтесь за пузыри и взлетайте над землей, как это сделал Ческо. Только так мы можем спастись. Я одна вступлю в сражение с мышами и выручу Сбаккио, – решительно сказала ребятам Нина, готовясь к атаке.

Додо, с фонарем в руке, ухватился за пузырь, так же поступили Фьоре и Рокси. Теперь они были в безопасности. В отличие от Сбаккио, почти невидимого под шубой из сотен мышей, вцепившихся в него. Девочка что было сил сжала Талдом, и тот вспыхнул ослепительным светом. Мыши, забыв про Сбаккио, обернулись, и Нина увидела, что их глаза побелели: волшебный жезл сделал свое дело: они ослепли. Мыши заметались, не видя, кого кусать и как спасаться.

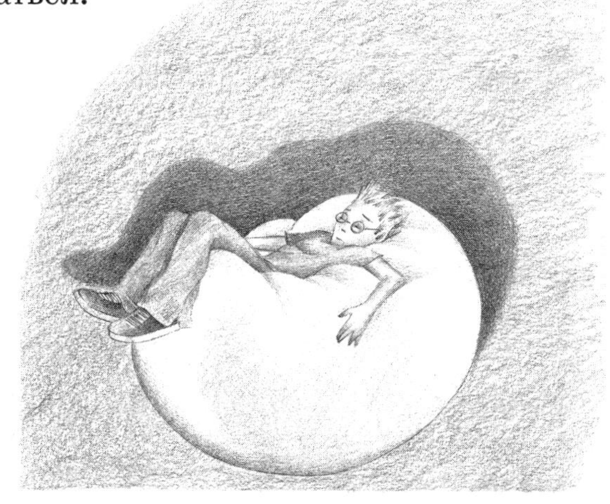

Нина подбежала к Сбаккио и обняла его. Он закрыл глаза и лизнул девочку в лицо. Несчастный был сильно покусан, и желтая кровь текла у него из ран.

– Молодец, ты молодец! Ты самый храбрый, я тебя очень люблю, – шептала Нина, гладя его.

Сбаккио глубоко вздохнул, высунул язык и принялся зализывать раны.

Ослепшие мыши в панике метались по полу. Нина ногой начала сталкивать их в дыру в полу, а ее друзья сверху давали ей советы. Неожиданно пузырь с Ческо, который уплыл дальше других, стал ускорять ход, притягиваемый к отверстию трубы, снабжавшей туннель воздухом, и затем... бум! Он лопнул, и мальчик, так и не придя в чувство, исчез в трубе.

– За ним! Мы не можем бросить его! – воскликнула ошеломленная Рокси.

Нина посмотрела на Сбаккио, потом на дыру в стене, в которой исчез Ческо, и спросила:

– А где план? Дайте мне план, иначе мы не поймем, где его искать. На плане должна быть обозначена система вентиляции дворца...

– План остался у Че... Че... Ческо. Что же теперь нам делать? – в отчаянии крикнул Додо, вися на пузыре.

Нина взглянула на ладонь: звезда снова наливалась черным.

– Додо, посвети в трубу и скажи мне, что ты там видишь, – попросила она.

Он ответил:

– Вижу... ничего... тру... тру... трубу, которая уходит вверх, но куда, не вижу.

– Значит, мы все лезем в эту трубу, – решила Нина.

– А Сбаккио? Он же не пролезет в нее, – заметила Рокси.

– Да, ты права, он слишком большой да еще и ранен. Сделаем так: мы все отправимся на поиски Ческо, а Додо и Сбаккио останутся здесь.

– Ладно, – согласился Додо. – Только про... про... прошу, возвращайтесь поскорей. А то вдруг снова набегут мыши.

Сидевший у стены Сбаккио, увидев, как Нина взобралась на пузырь, который ей уступил Додо, послал ей воздушный поцелуй.

Глава двенадцатая
Атанор и разгадка Первой Тайны

– Смелее, входим, воздух сам принесет нас туда, где Ческо. – Нина, сидя на пузыре двигалась вдоль стены, приближаясь к входу в вентиляционную трубу.

Одна за другой девочки были втянуты в нее, тяга была очень сильной, и им оставалось только покрепче вцепиться в пузыри, закрыть глаза и довериться судьбе.

Нина, летя в воздушном потоке, почувствовала, что конец трубы уже близок, и, действительно, мгновение спустя она упала на пол какой-то комнаты. От удара пузырь лопнул, и Нина покатилась к стене. Рядом шлепнулись Рокси и Фьоре.

Девочки огляделись и увидели три громоздких агрегата, два перегонных куба высотой больше метра, в которых плескалась жидкость неопределенного цвета, четыре медных листа, прикрепленных к полу, широкую низкую банку и разнообразные палочки и трубочки из металла. Три агрегата составляли углы равностороннего треугольника. Первый имел форму печки, топящейся углем, и сейчас из него доносился оглушительный свист, второй напоминал печку для пиццы, в нем тлели какие-то огромные листья, а третий походил на ракету с освещенными иллюминаторами. Многочисленные стальные трубы и электрические провода соединяли устройства между собой, а в самом центре комнаты находился большой корабельный штурвал, который медленно поворачивался влево, должно быть, автоматически.

– Где мы? – тихо спросила Фьоре.

– И для чего все эти штуковины? – добавила Рокси.

– Я еще не знаю, но наверняка мы в очень важном месте, – отвечала Нина.

Она и правда не понимала назначения этих устройств, но была уверена, что это особое помещение, где Каркон придумывает свои мерзкие препараты и магические пакости. На стенах висели чертежи странных механических конструкций, были написаны алхимические формулы и названия металлов, подчеркнутые красным. На грифельной доске мелом были написаны цифры: 7-2-6-6-5-1-3, а рядом слово: Атанор.

– Атанор... я хорошо знаю, что оно обозначает. – Нина повернулась к подружкам: – Атанор – это Неугасимый огонь. В алхимии он символизирует Сильный Дух. В черной тетради моего деда записаны четыре основных элемента и символа Магической Вселенной: Вода – Слабый Дух, Земля – Чарующий Дух, Воздух – Светящийся Дух и Огонь – Сильный Дух. У каждого из них есть соответствующий цифровой код. Тот, кто овладеет Атанором, овладеет Неугасимым огнем Вселенной. И если его использовать во имя Добра, тогда всем будет от этого польза, но если Атанор попадет в руки Зла, все окажутся в смертельной опасности.

Рокси, внимательно выслушав Нину, кивнула в сторону агрегата в форме печки для пиццы.

– Нина, там горит огонь... Может, это и есть Атанор?

– Невозможно, невозможно, если только... – Нина запнулась, повернувшись к остановившемуся штурвалу.

– Если только что? – хором спросили Фьоре и Рокси.

– Если только Каркон не оказался настолько сообразителен, что смог преобразовать алхимическую формулу Атанора в математическую... Посмотрите на эти цифры, они могут являться ключом для входа в механическую систему использования Неугасимого огня.

– Механическую? – не поняла Рокси.

– Да, энергию, производимую Атанором, можно использовать не только в магических целях, но и для приведения в действие механических систем, состоящих из различных устройств и их комбинаций.

– Очень интересно. Но для чего служат эти механические системы? Что может делать Каркон с Неугасимым огнем и этими аппаратами?

– По правде говоря, я не знаю, но думаю, с их помощью он придумывает какие-нибудь вредные магические трюки, – ответила Нина, протягивая руку к штурвалу, который возобновил свое вращение влево.

Но как только девочка дотронулась до штурвала, огонь в печке ярко вспыхнул и тут же опал, и стала видна прозрачная стеклянная палочка.

Нина убрала руки со штурвала, и палочка исчезла.

– Мне кажется, эта палочка и есть символ Неугасимого огня. Надо как-то взять ее, – сказала Нина, приближаясь к печи. Едва она протянула руку к палочке, облако черного дыма вылетело ей навстречу, и непонятно откуда идущий голос произнес:

ИГНИС ЭТЕРНУМ
Я – НЕУГАСИМЫЙ ОГОНЬ В ПЛЕНУ ЗЛА,
ТЫ ДОЛЖНА ОТКРЫТЬ
ПЕРВУЮ ТАЙНУ,
ЧТОБЫ ОСВОБОДИТЬ МЕНЯ.

– Атанор... Клянусь всем шоколадом мира, я нашла Неугасимый огонь! – Нина не верила своим глазам, слезившимся от едкого черного дыма.

Она отошла от печи и посмотрела на подруг, с интересом наблюдавших за ней.

– Первая Тайна... Попробуй произнести заклинание Хамои Атури, и, может быть, палочка появится вновь, – подала совет Рокси.

– Сейчас... надо только ее вспомнить... – Нина сконцентрировалась, глубоко вздохнула и произнесла:

МАЙРОБИ ТИ КУТАНГА.

Огонь продолжал пылать, как и прежде, и ничего не изменилось. Нина попробовала еще раз произнести магические слова, но стеклянная палочка не появлялась.

– Я не знаю, что делать. Заклинание Хамои Атури не действует.

– Оставь Атанор, Нина, мы пришли сюда, чтобы найти Ческо. Огонь освободим позже, – устало сказала Фьоре.

Нина нехотя согласилась, и они продолжили поиски Ческо.

Как оказалось, тот находился совсем рядом, за устройством в форме ракеты. Когда девочки нашли его, он лежал без чувств, очки упали на нос, ноги были подогнуты, а руки вытянуты вперед.

– Ческо! Клянусь всем шоколадом... это он... быстро сюда! – Нина опустилась на колени рядом с ним.

– Ах! Он не дышит! – испугалась Фьоре.

– Не дышит? – эхом повторила Рокси.

Нина сжала запястье Ческо, пульс, хотя и слабый, хорошо прощупывался. Руки мальчика были в крови от мышиных укусов.

– Надо срочно что-то делать. Это очень серьезно. Он дышит, сердце бьется, но он в коме. Очевидно, мышиные укусы были ядовиты.

Диагноз, поставленный Ниной, к сожалению, был правдивым. Девочка посмотрела по сторонам и увидела около печки для пиццы кучу огромных листьев, а на них табличку: МЕДИЦИНСКАЯ ТРАВА.

– Может, это пригодится? – сказала Нина, показывая на листья.

Рокси взяла два больших темно-зеленых листа:

– Вот... сделай что-нибудь... спаси Ческо.

Нина не была уверена, что ей это удастся. Оставалось лишь только положиться на интуицию, школу магии и вот эти огромные тропические листья.

Она осторожно приложила листья к ранам на руках Ческо, прижав их на несколько секунд. Но мальчик не подавал никаких признаков жизни. Тогда Нина подошла к печке, сунула в нее лист, подождала, когда он воспламенится, бегом вернулась к Ческо и, дуя на вспыхнувший лист, стала посыпать ранки пеплом.

В одно мгновение на глазах изумленных девочек руки приобрели нормальный цвет, и ранки от укусов исчезли. Нина взяла второй лист, но на этот раз не подожгла его, а положила на лоб Ческо и, сосчитав до семи, сняла его, положила другой, сосчитала до двух, сняла, положила третий, сосчитала до шести, положила еще один и опять сосчитала до шести. Она следовала цифровому ряду, написанному на грифельной доске, надеясь, что, может быть, эта система поможет понять свойства лекарственного растения.

Она держала в руке последний лист, когда Ческо открыл глаза и слабым голосом произнес:

– Мыши... Сбаккио... я лечу... лечу.

– Ческо, это я – Нина. Просыпайся. Ты выздоровел. Смотри, вон Рокси и Фьоре. Сейчас ты сможешь встать на ноги и идти.

Мальчик поправил очки, посмотрел на подружек и улыбнулся им. Те бросились помогать ему подняться.

– Как ты себя чувствуешь? Руки не болят? – спросила озабоченная Фьоре.

– Чуть-чуть покалывает в кончиках пальцев, но, в общем, ничего. Что со мной случилось? И где мы находимся?

– Ты был отравлен мышиным ядом, а находимся мы в лаборатории Каркона. Нам надо поскорее убираться отсюда, пока сюда никто не заявился, – объяснила Рокси.

– А где Додо и Сбаккио? С ними все в порядке? – спросил Ческо, не видя своих друзей.

– Они ждут нас в подземной галерее. Все, пошли, возвращаемся через трубу.

Пока они размышляли над тем, как в нее забраться, Нина обратила внимание на тетрадь, лежащую на маленьком столике, взяла ее и начала просматривать.

– Ты что, увлеклась чтением? Нам же нужно скорее уходить отсюда. Пошли! – рассердилась Фьоре.

– Подождите, это записи алхимических опытов Каркона за последние годы. Здесь наверняка есть формула, использованная им для превращения Атанора во вредоносный огонь... Великолепно!

– Атанор? Что это такое? – спросил Ческо.

– Это открытая Первая Тайна. Неугасимый огонь. Смотри. – Нина показала на печь. – В огне лежит стеклянная палочка Неугасимого огня, в котором воплощен Сильный Дух Вселенной. Я не смогла взять ее, попробую сделать это позже. Сейчас нам и правда лучше уйти.

– Да, я тоже чувствую опасность, – настаивала Фьоре.

Но Нина, увлеченная находкой, никак не могла с ней расстаться и продолжала читать вслух:

«То, что находится здесь, внизу, равно тому, что находится вверху. А то, что находится вверху, подобно тому, что находится внизу. С помощью только одного ОТРИЦАТЕЛЬНОГО ЗНАНИЯ можно уничтожить СОЗИДАНИЕ. Ветер уносит мысли, а солнце иссушает души. Дети угасают, свет исчезает. Зло побеждает и царит. Четыре врага, которых надо победить, Четыре Тайны, которые надо раскрыть, чтобы ТОРЖЕСТВОВАТЬ ВСЕГДА».

– Четыре Тайны... четыре врага. Понимаете? Каркон блокировал Четыре Тайны, поэтому мысли детей почти не попадают на Ксоракс. На острове Пасхи Хамои Атури дал мне дощечку, на ней написано заклинание, с помо-

щью которого мы нашли ключ к Первой Тайне и нам удалось разблокировать один из каналов связи с Ксораксом. Значит, мы на верном пути. Мы должны достать стеклянную палочку: если мы завладеем Атанором, Неугасимым огнем, то Первая Тайна окончательно будет в наших руках. Каркон попытается помешать нам раскрыть три других, вот почему надо отнять у него Ямбир. Это главное, что мы должны делать. Здесь записаны все его попытки создать черную магию. И Атанор, Неугасимый огонь, служил ему для поддержания этого... Каркон – самый настоящий злодей!

Бесценная находка, черная тетрадь окрылила Нину. Узнать формулы Каркона – значило повысить шансы победить Черного Мага, изобретая противодействие его коварству.

Внезапно распахнулась дверь, и в комнату влетели Вишиоло и близнецы-андроиды.

– Стоять, сопляки! – заорал Одноглазый.

– Бежим! Прыгайте в трубу! – закричала Нина, пряча тетрадь в карман.

Одноглазый нажал кнопку рядом с дверью, и вход в трубу захлопнулся.

– Ага, попались! Ха-ха-ха-ха-ха! Теперь вы – мои пленники. Ко мне, вы, двое! – приказал он андроидам. – Схватите их, свяжите, мы отведем их к Князю. Он распорядится, что с ними делать, ха-ха-ха-ха!

Нина вынула Талдом и направила лучи в андроидов, попав одному прямо в лоб, а другому в колени. Несмотря на полученные раны, андроиды продолжали наступать на ребят, которые пятились назад, пока не уперлись в стену.

– А тебя, маленькая ведьма, я сожгу живьем! – Вишиоло схватил палку и бросился на Нину, которая вновь подняла Талдом и дала сильный разряд, но промахнулась.

Рокси спряталась за агрегат в форме угольной печки, Фьоре выставила кулаки, а Ческо замахал руками, пытаясь напугать Одноглазого.

Нина опять выпустила разряд, и луч попал в палку, которую Вишиоло держал в руках. Тот замешкался, а Нина, воспользовавшись этим, бросилась к двери. Андроиды принялись ловить Фьоре, которая колотила их кулаками, отражая атаки справа и слева, а Ческо, нырнув между ног Одноглазого, бросился на помощь Нине. Только Рокси, спрятавшаяся за агрегатом, не знала, как ей добраться до двери.

Талдом в руках Нины сверкнул в очередной раз, и Вишиоло, схватившись за руку, с воем покатился по полу. Рокси, выскочив из-за агрегата, врезалась в андроидов, сбила их с ног, схватила Фьоре за руку и присоединилась к друзьям.

– Бежим через дверь. Она ведет в подземелье, – крикнула Нина и выбежала из лаборатории.

– Подождите, надо заблокировать дверь, чтобы они не смогли предупредить Каркона. – Рокси схватила палку, валявшуюся на полу, и вставила в ручку двери.

– Смотрите, как нам помог эликсир храбрости. И он будет действовать еще несколько часов, – смеясь заметила Нина.

Ребята очутились в плохо освещенном коридоре и, чтобы никто их не услышал, пошли на цыпочках. Посреди коридора, направо, была лестница, ведущая на нижний этаж. Ребята сбежали по ней и в конце увидели черную деревянную дверь с вырезанной на ней буквой К.

– Это, наверное, и есть тайная подземная лаборатория Каркона, где он проводит самые важные алхимические опыты. Может быть, и наш Ямбир здесь, – сказал Ческо, доставая из кармана план дворца и сверяя по нему расположение помещений.

Рядом с дверью, в нескольких метрах, была видна другая дверь, поменьше, запертая на висячий замок. Любопытная Рокси приоткрыла ее насколько возможно и заглянула в образовавшуюся щель. За дверью тоже шла лестница.

– Эй, тут лестница, может, именно она ведет в туннель, по которому мы прошли. Если сломать замок, то можно пойти посмотреть, как там Додо и Сбаккио, а потом вернуться всем вместе сюда, – сообщила Рокси ребятам.

Ческо и Нина согласно кивнули. Луч из клюва Талдома перерезал дужку замка: путь был свободен.

– Пойдем я и Фьоре, а вы ждите здесь, – распорядилась Рокси.

– Только быстрее, уже 23 часа, нам нужно спешить. Сбаккио должен вернуться на Ксоракс до восхода солнца, – напомнила друзьям Нина.

Оставшись вдвоем с Ческо, она взглянула на ладонь.

– Смотри, звезда стала еще темнее, это плохой знак. Надо быть осторожными, я боюсь, что на этот раз нам и впрямь грозит серьезная опасность.

Проникнуть в лабораторию Каркона оказалось делом нелегким. Из-за двери слышались голоса, разговаривали два или три человека, но ребятам не удалось расслышать, о чем шла речь. Нина прислонила ухо вплотную к замочной скважине. Беседовали Каркон и Алвиз с Барбессой, которым удалось выбраться из закрытой комнаты. Вероятно, через ту же трубу, слишком узкую для Одноглазого.

– ...Нина и остальные уже во дворце. Надо остановить их. – Голос, несомненно, принадлежал Алвизу.

– Найдите Вишиоло и скажите ему, чтобы предупредил всех андроидов. На этот раз им от меня не уйти, – звучал голос Князя.

– Слушаюсь, Учитель, мы будем начеку, но я думаю, вам не стоит оставаться одному. – Это был голос обеспокоенной Барбессы.

– Идите, идите. Я знаю, что здесь ищет эта маленькая негодяйка. Она хочет забрать у меня Ямбир. Но она еще не знает, что это ей никогда не удастся. Ха-ха-ха-ха-ха! – Дьявольский хохот был столь громким, что заставил ребят съежиться и побледнеть.

– Он там, в лаборатории! – прошептал Ческо.

– Да. И с ним Алвиз и Барбесса. Они уже сообщили ему, что мы во дворце. Надо дождаться Сбаккио, он нам поможет.

Нина была действительно обеспокоена и не скрывала этого, даже если эликсир против страха еще действовал.

Заслышав шаги близнецов, собиравшихся покинуть лабораторию, она дернула Ческо за руку и они спрятались за дверцей, ведущей в туннель.

Андроиды прошли мимо и, дойдя до боковой лестницы, вдруг закричали:

– Вишиоло, Вишиолоооо, бегом сюда. Скорее!

Ребята решили, что настал самый удачный момент для проникновения в лабораторию. Но в это мгновение они услышали за спинами шаги.

– Это мы! Мы притащили Сбаккио. Уффф! Он же не может ходить по лестницам. Уффф! Ну и тяжеленный он! – запыхавшись, сообщила Рокси.

– Тссссс, тихо! Отдышись, мы идем к Каркону, он один в лаборатории, – прошептала Нина.

Сбаккио, увидев Ческо живым и здоровым, от радости хотел было пустить пузырь, но Додо успел ладонью запечатать ему рот.

– Не шуметь! – повторила Нина. – Главное сейчас – лаборатория. Маг, конечно, очень удивится. Если он кинется на нас, не мешайте мне бросить в него кристаллы кварца, чтобы нейтрализовать его подлую душу. Какое-то время Каркон будет безопасен, за это время мы должны найти, где он прячет Ямбир.

– Мы все поняли, – ответили ребята. Сбаккио тоже согласно кивнул.

– А ты останешься здесь! – приказала ему Нина. – Ты не можешь скакать по комнате, Каркон сразу среагирует и быть беде. Жди нас тут.

Сбаккио покрутил ушами, улыбнулся и замер. Нина тихо приоткрыла дверь и увидела Каркона в глубине комнаты, сидящего в кресле из фиолетовой кожи и погруженного в чтение.

Тайная лаборатория освещалась десятью черными свечами, пол был устлан большими стеклянными панелями, на стенах развешаны плакаты со странными надписями вроде:

«ФИЛЬТРОВАННОЕ ЗОЛОТО И КРОВЬ ЗМЕИ ДЛЯ НЕЙТРАЛИЗАЦИИ ЛЮДЕЙ»

«ШЕСТАЯ ЛУНА, ПОВЕРНУТЬ ГОЛОВУ СЕМЬ РАЗ»

«ДЬЯВОЛЬСКАЯ ЗАГАДКА: ХОЖДЕНИЕ ПО МАГМЕ»

«СУРЬМА И МЕД ДЛЯ ПУТЕШЕСТВИЙ БЕЗ ПИТЬЯ»

Еще было много чертежей и рисунков с изображениями планет, комет, звезд и галактик. На грифельной доске длиной метра четыре были написаны комбинации цифр, химические и математические формулы. Рядом с креслом Каркона находились огромный книжный шкаф, гигантский экран и многочисленные инструменты и приборы, включая два компьютера.

В одном углу комнаты виднелся камин с висящим в нем тиглем для изготовления магических препаратов, рядом висел большой мешок с ветками, а перед камином стоял открытый сундук, до краев наполненный драгоценными камнями и минералами: сокровища алхимика.

Нина и ее друзья, стараясь не шуметь, вошли в комнату, однако Каркон их все же услышал и, не отрываясь от чтения, спросил:

– Алвиз? Барбесса? Это вы? Нашли Вишиоло?

Нина, сжимая Талдом в одной руке и кристаллы кварца в другой, твердо сказала:

– Это мы. Повернись и прими вызов!

Маг рывком вскочил с кресла, захлопнул книгу, которую читал, и оказался прямо перед Ниной.

– Ааа, это ты!.. Отлично! Значит, ты желаешь сразиться со мной. Ладно, я готов доставить тебе это удовольствие. Только это будет твоим последним желанием. – Голос Каркона звучал грозно, глазки, маленькие и красные, налились злобой.

Нина подняла Талдом, но Каркон с необычайной быстротой проделал руками пассы и произнес:

– Громы и молнии, жабы и змеи, черная ночь, несите темную смерть!

От пальцев князя в сторону Нины отскочили десять огненных пуль. Нина дважды нажала на глаза Гуги, выпущенные лучи образовали непреодолимый заслон, и пули, зашипев, повисли в воздухе. Каркон нагнулся, чтобы взять со стола Пандемон, и в этот миг Нина швырнула в него горсть кристаллов кварца. Песчинки прозрачного минерала, ярко вспыхнув, попали Каркону в лицо. Тот остолбенел, а вокруг него, сковав его движения, сомкнулось металлическое кольцо.

– Получилось! – воскликнула радостно Нина. – Каркон обезврежен! Вперед, ребята, на поиски Ямбира.

Додо бросился к шкафу, Фьоре начала перебирать книги, Ческо рылся в инструментах, Рокси засунула руки в сундук с драгоценными камнями. Нина осталась стоять перед Карконом с направленным на него Талдомом, стараясь не проглядеть момент, когда Маг придет в себя. Кварц блокировал дрянную душонку Каркона, но чары не могли длиться долго.

– Нигде нет, нам не найти его! – кричали ребята, шаря повсюду.

– Ищите, ищите, мы не можем уйти без Ямбира!

Нина волновалась, но верила в своих друзей. Внезапно ей пришла в голову мысль: а что если копия Ямбира в одном из карманов плаща Каркона?

– Послушайте! Ямбир может быть у него в кармане!

– Но нам до него не добраться, кольцо не пустит, – огорчилась Рокси.

– Нам его не до... до... достать, мы проиграли, – заныл Додо.

Все вдруг запаниковали: заканчивалось действие эликсира храбрости.

Тут Ческо неловко повернулся, оперся на стол и нечаянно задел клавиатуру одного из компьютеров. На его экране появилось изображение моаи с острова Пасхи. Статуя разваливалась на куски на глазах ребят.

– Смотрите, это же статуя на острове, где мы были! – изумился Ческо.

Все смотрели, потеряв дар речи. Первой пришла в себя Нина:

– Я не верю, что Каркону удалось снова заблокировать моаи. Щелкни, пожалуйста, еще раз на изображение статуи.

Ческо попробовал.

– Ничего не получается, мышка не двигается, а статуя продолжает рассыпаться.

Нина подбежала к компьютеру, на ум ей пришли магические слова Первой Тайны, и она решила попробовать их действие.

Она отодвинула Ческо и набрала на клавиатуре: МАЙРОБИ ТИ КУТАНГА.

Заклинание Хамои Атури произвело мгновенный и поразительный эффект: осколки статуи вдруг соединились в небольшой параллелепипед, который на глазах сделался прозрачным и неожиданно принял форму стеклянной палочки.

Это был Атанор.

– Это же символ Неугасимого огня! – захлопала в ладоши Нина.

Стеклянная палочка двинулась по кругу, словно часовая стрелка, экран на мгновение вспыхнул и погас, а палочка материализовалась в комнате, зависнув над клавиатурой.

Талдом тем временем принялся вибрировать с такой силой, что Нина едва удерживала его в руках. Электрические волны, идущие от палочки, словно магнитом, притягивали Талдом. Оба предмета столкнулись, клюв Гуги открылся, и палочка исчезла в горле птицы. Жезл Шестой Луны на мгновение осветился и прекратил вибрировать.

Одновременно с этим на гигантском экране, висевшем на правой стене лаборатории, появилась надпись:

ТРЕВОГА! ТРЕВОГА! ТРЕВОГА!

ПЕРВАЯ ТАЙНА ОКОНЧАТЕЛЬНО РАСКРЫТА

ЗЛО НАВСЕГДА ПОТЕРЯЛО ВЛАСТЬ НАД НЕУГАСИМЫМ ОГНЕМ

МОАИ ТЕПЕРЬ НЕДОСТУПНЫ!

ЗАКРЫТЬ ИСТОЧНИКИ ТРЕХ ДРУГИХ ТАЙН!

ЗАРЯДИТЬ ПАНДЕМОН МОРТАЛИС ДЬЯБОЛИКУСОМ СЕМПЕР!

– Первая Тайна в наших руках! Атанор – внутри Талдома. Неугасимый огонь в нашей власти. – Голос Нины звенел, лицо сияло. – Теперь, только теперь остров Пасхи действительно свободен. Каркон не сможет больше вернуться туда и остановить мысли детей и полет ласточек! Я так счастлива! – сказала она, прижимая Талдом к сердцу.

Но даже это радостное известие не успокоило ребят.

– Пора уходить, Нина, пока сюда не прибежали андроиды и Вишиоло, – сказала Фьоре.

В этот момент в лабораторию впрыгнул Сбаккио, который, услышав сигнал тревоги и испугавшись за ребят, решил узнать, что происходит за дверью. Нина и Рокси едва успели остановить его.

– Стой, стой, не прыгай, а то невзначай дотронешься до Каркона, и чары кончатся.

– Ааа, вы здесь, мерзавцы! Сейчас мы с вами разберемся! – В комнату с криком ворвались Алвиз и Барбесса.

– На помощь! Они здесь! – закричала испуганно Фьоре, прижимаясь к Рокси.

– Нина, выстрели Талдомом! – Ческо сжал кулаки.

Всех удивил Додо: он подбежал к Сбаккио и крикнул андроидам:

– Уходите сейчас же! А то он размажет вас по стенам!

Нина включила Талдом, его луч скользнул по Алвизу, который бросился на нее с кулаками.

Ческо схватил со стола стопку листов и бросил их в Барбессу, пытаясь сбить ее с толку, а Фьоре и Рокси бросали в андроидов колбы, реторты, стеклянные банки. Нина, отлетевшая к стене от удара Алвиза, увидела, что Каркон пошевелил пальцами.

– Бежим, бежим, Каркон приходит в себя!

Металлическое кольцо, охватывающее Каркона, слабело на глазах, и Черный Маг начал медленно двигаться.

Ребята бросились вперед и сбили близнецов с ног.

Нина обернулась и дважды выстрелила лучом, целясь в сердце Каркона, но тот успел прикрыться плащом, который сработал, словно щит. Сбаккио взлетел под потолок и оттуда всей тяжестью рухнул на Каркона, сбил его с ног и выпрыгнул за дверь.

– Скорее отсюда! – крикнула Нина.

Они выскочили из лаборатории, но Алвиз успел повернуть рычаг, и дверь, ведущая в туннель, захлопнулась.

– Путь закрыт. Они нас убь... убь... убьют, – запричитал Додо.

– Давайте поднимемся по лестнице, добежим до верхней лаборатории и оттуда через трубу – в туннель, к лодке, – предложила Нина, стараясь найти путь к спасению.

– Ничего не выйдет. Во-первых, в лаборатории Вишиоло, а во-вторых, Сбаккио не пролезет в трубу.

Рокси была права.

– Ладно, тогда поищем другой выход.

– Сейчас я сверюсь с планом. – Ческо уже доставал его из кармана.

Сбаккио одним прыжком очутился наверху лестницы и оглянулся, не бегут ли сюда другие андроиды. Покрутив ушами, он подмигнул ребятам, как бы говоря, что путь свободен.

– Так, направо – лаборатория, где мы закрыли Одноглазого, значит, нам надо налево.

На город опустилась темнота, часы на площади Сан-Марко пробили полночь. Ребята и Сбаккио неслись по дворцу в поисках выхода. За ними по пятам бежали близнецы и Каркон.

– Ческо, ну где же выход, посмотри внимательнее план! – взмолилась на бегу Нина.

– Надо спуститься во двор, потом направо, в столовую, там есть выход в подземелье, – запыхавшись отвечал Ческо.

Двор был ярко освещен полной луной, из распахнутых окон не доносилось ни звука.

Уже это было неплохо, поскольку могло означать, что все другие андроиды спят.

Вбежав в столовую, ребята увидели в глубине зала арку и пролетели через нее, словно пули. Правда, Сбаккио промахнулся мимо ступенек и мячом покатился по мокрому и грязному полу.

– Полный мрак, ничего не видно, – прошептала Фьоре, ощупывая рукой влажную кирпичную стену.

– Идите медленно вдоль стены. – Нине не терпелось поскорее покинуть этот проклятый дворец.

Внезапная вспышка осветила туннель, и перед ними появилось яркое красное облако, которое быстро опало, и в ореоле света ребята увидели Каркона.

– Ха-ха-ха-ха! Вы никогда не выйдете отсюда. Вы в западне, сейчас я пущу воду в туннель, закрою выходы, и вы утонете. Это смерть, которую вы заслужили, противные глупые детишки. С алхимией не шутят. Быть магом дано не каждому!

Лицо у Каркона было красное, в лысине отражались колеблющиеся языки пламени.

Нина несколько раз нажала на глаза птицы, но Талдом еще не накопил достаточно энергии. Сбаккио попытался вновь прыгнуть и сбить Каркона с ног, но тот махнул рукой,

и ядовитый язык пламени метнулся в несчастное животное. Сбаккио рухнул на спину, дважды крутанул глазами и, открыв рот, затих.

– Ты убил его! Убил! Ты за это заплатишь! – Нина подняла Талдом и со слезами на глазах крикнула:

– Дедушка, дай мне сил! Спаси меня... Спаси нас!

Золотой жезл разом засветился, голова птицы сделала пять оборотов и выпустила зеленый луч, который вихрем обернулся вокруг ребят и лежащего на земле Сбаккио. Каркон, в свою очередь, устроил самый настоящий ураган огненных молний. Он показал Нине на Ямбир, висящий у него на шее:

– Этого медальона тебе никогда не видать. А ты, противная девчонка, сейчас умрешь.

Нина едва успела досмотреть этот спектакль, как зеленый луч Талдома поглотил их целиком.

В подземном туннеле остался один Каркон, его молнии были бессильны. Он со злостью сплюнул на пол, взял в руку Ямбир и буркнул под нос:

– Нина, глупая Нина, с этой штукой я тебя достану, где бы ты ни была. Я никогда не позволю тебе открыть Тайны, которые тебе не дано постичь.

И, запахнувшись в плащ, он вернулся в лабораторию.

Ребята без чувств лежали на каменной мостовой площади Сан-Марко. Было 0.30 утра, ночь уходила, освобождая место занимающемуся дню.

Первым пришел в себя Додо. Он посмотрел на спящих друзей, на площадь, на колокольню, на базилику Сан-Марко. Ни одной живой души. Июльский ветерок освежал лицо, и Додо глубоко вздохнул, радуясь чудесному завершению опасного приключения. Спасибо Талдому. Додо поднялся на ноги, разбудил остальных, потом склонился над Сбаккио и погладил его.

– Нина, посмотри, он не двигается. Я боюсь, не умер ли он, – печально сказал Додо.

Нина дотронулась до уха и носа храброго животного с Шестой Луны: они были ледяные. Тогда она положила на Сбаккио Талдом и прошептала ему на ухо:

– Открой глаза, ты не можешь умереть на Земле. Не можешь оставить нас. Ты должен вернуться на Ксоракс. Этэрэя ждет тебя.

Девочка погладила золотое Перо и через мгновение появилась золотая сфера.

– Посмотри, видишь, это Шестая Луна. Она ждет тебя, вставай...

Нина была в отчаянии, она не хотела верить в то, что Сбаккио умер.

Сфера медленно плыла в воздухе, освещая площадь, а ребята грустно смотрели на бедное животное, не подававшее никаких признаков жизни.

Вдруг в сфере показались голубые глаза Этэрэи.

– Мать Алхимиков, прости меня, я проиграла, Сбаккио... умер, – заплакала Нина.

Положи Талдом на Сбаккио
И отойди в сторону, –

прозвучал в ее голове голос Этэрэи.

Нина тотчас сделала так, как приказала Этэрэя. Из сферы протянулся луч света в форме руки и лег на Талдом, который поднялся в воздух метра на два, и из глаз Гуги на лежащего Сбаккио полилась цветная вода. Животное открыло глаза и повернулось к сфере. Световая рука подняла его и втащила внутрь.

Талдом медленно спланировал в руки Нины.

– Он жив! Жив! Спасибо, Этэрэя! – захлопала в ладоши Нина. Проводив Сбаккио на Ксоракс, остальные ребята тоже запрыгали от радости.

Сфера исчезла, оставив на камнях площади немного золотой пыли.

Ребята подошли к Нине, неотрывно смотревшей в небо.

– Пошли, Нина, вернемся на виллу. Мы сделали все возможное, чтобы забрать Ямбир. Не твоя вина, что не удалось, – сказал Ческо, кладя руку ей на плечо

– Главное, что Сбаккио жив. Вот увидишь, мы отнимем Ямбир у Каркона, – заверила ее Фьоре.

Нина не отвечала: она чувствовала себя абсолютно разбитой. Борьба с Карконом с каждым разом отнимала у нее все больше и больше сил.

– Ты открыла Первую Тайну, у тебя за... за... записи магических опытов Каркона. Если мы и проиграли, то совсем немного, – сказал Додо, пытаясь утешить девочку.

– Ты прав, мы потеряли всего ничего, – улыбнулась Нина. – И потом, нельзя же все время выигрывать.

Глава тринадцатая
Пять листьев фусталлы, чтобы освободить Андору

В 6 часов ребята тихонько вошли в виллу «Эспасия» и, страшно уставшие, в перепачканной одежде и с покрасневшими глазами, так и рухнули на диваны в Апельсиновом Зале и мгновенно уснули.

В 9 утра в зал вошла Люба и от неожиданности вскрикнула:

– Боже, что вы здесь делаете?

Рокси подскочила и свалилась с дивана, Додо втянул голову в плечи, Фьоре показала няне язык, а Ческо, почесав макушку, ответил:

– Мы спали. А теперь собираемся уходить.

– Ну уж нет, дорогие мои, – сказала Нина, входя в зал.

На лице ее не осталось следов ни тяжелых приключений, ни сна, выглядела она свежей и хорошо отдохнувшей. В руках девочка держала поднос, уставленный чашками с шоколадом, блюдечками с печеньем и джемом и другими вкусностями:

– Сейчас позавтракаем и... пойдем готовиться к экзамену.

– То есть как готовиться? Экзамен завтра утром, а тебе еще надо готовиться? А я-то надеялась, что все в порядке! – воскликнула Люба.

– Не беспокойся, няня. Я готова. Надо только кое-что повторить.

Нина подала знак друзьям, и все отправились за ней в Акуэо Профундис.

Когда ребята вошли в лабораторию, Макс держал в руке два маленьких микрочипа и казался очень довольным. Ему не терпелось поделиться хорошими новостями.

– Я уже знаю, что вы не смогли взять копию Ямбига. Нелегко сгажаться с Кагконом, а, гебята? Но ничего стгашного. У меня сюгпгиз для вас. Видите эти микгочипы? Так вот, в них память Андогы. Я обнагужил одну интегесную вещь, когда их изучал. Сейчас я подключу их к компьютегу, и вы увидите, что я нашел, – говорил он, приплясывая.

– Это действительно важная вещь? – спросила Нина.

– Еще какая! – ответил Макс.

Андроид ввел микрочип, и на экране компьютера появилось изображение Андоры. Да, именно истинной тети Андоры! Она сидела в плетеном соломенном кресле в полутемной комнате с облупленными стенами. Лицо у нее было печальное, глаза смотрели в пол, и она молчала.

– Тетя Андора! Живая! Клянусь всем шоколадом мира! – вскричала Нина.

Тетя был жива! Но где она – вот загадка.

– Я должна найти ее и вернуть домой, к Кармен. Макс, помоги мне узнать, где она находится. – Нина, взволнованная, подошла к экрану и погладила изображение тети.

– Мне кажется, что андгоид Андога мог спгятать ее в каком-нибудь месте, куда можно наведываться. Судя по изобгажениям, он делал это неоднокгатно. Следовательно, это где-то недалеко от Мадгида.

Услышав эти слова, Нина подпрыгнула от радости.

– Толедо! Ну конечно, тетя находится в каком-нибудь доме в Толедо. Фальшивая Андора не раз говорила мне и Кармен, что ей надо навестить любимую подругу, которая живет в Толедо... – сказала Нина, глядя на друзей.

Появилась новая проблема: добраться до Толедо, найти тетю Андору и спасти ее. Но у Нины был только один день, потому что завтра утром ей предстояла встреча с экзаменационной комиссией.

– У нас всего двадцать четыре часа! Время служит, но не существует... да... да... – бормотала погруженная в свои мысли Нина.

Ческо сунул ей в руку черную тетрадь деда:

– Поищи систему. Или формулу, которая позволит сделать это быстро. Если я хорошо понял, Ямбир нам в этом не помощник, с ним можно путешествовать только в прошлое. Поэтому попробуй порыться в записях Каркона, которые мы забрали из его тайной лаборатории... может, там есть что-то интересное.

– Нет, записи Каркона служат только для преобразования алхимических формул в математические. Конечно же они нам еще пригодятся, но не сейчас. Сейчас нам сможет помочь только магия, – ответила Нина, листая тетрадь деда.

Все собрались вокруг в ожидании, когда девочка Шестой Луны найдет решение.

– Ага, вот что нам надо! Голубая камедь, если смешать ее с сапфиром, позволяет увидеть будущее. Здесь написано, что эту смесь надо выпить или пожевать. Но жевать недолго, иначе могут выпасть зубы, – прочитала она пояснение к формуле.

– Зубы! – воскликнула напуганная Фьоре. – Я не хочу, чтобы они выпали!

– И мои тоже мне нравятся, я боюсь их потерять, – присоединилась к подруге Рокси.

– Девочки, – сказала Нина. – Магия имеет свою цену. Поэтому успокойтесь, я не думаю, что мы потеряем все зубы, если пожуем препарат один раз. Но даже если выпадет парочка, я думаю, это не слишком большая цена. Жизнь спасенного человека стоит гораздо больше, не так ли?

Риск, конечно, был, но иначе как заглянуть в будущее? И если удастся увидеть, что случится в Толедо в следующие часы, можно определить местонахождение дома, где заточена Андора.

Но этого мало. Надо было еще найти способ быстро оказаться в нужном месте.

Среди растений Шестой Луны нашлось одно, подходящее для подобных случаев.

– Фусталла! Вот что нам поможет. Фусталла, ксораксианский код 8833112, даст нам возможность обернуться за двадцать четыре часа. Достаточно съесть один ее синий листик, и все будет в порядке. – Нина закрыла тетрадь и посмотрела на Макса.

– Фусталла, да, да. Синие листья обладают очень необычными свойствами. Молодец, Нина.

– Еще что-то жевать? И опять синее? – Ческо скривился.

Итак, сначала ребята должны были пожевать камедь, увидеть в будущем место, где спрятана Андора и как они будут ее спасать. Только после этого им предстояло, опять же пожевав листья фусталлы, полететь в Толедо, чтобы ее освободить.

Нина подошла к полкам с минералами и магическими субстанциями. Достала пять граммов синей камеди, перемешала ее в керамической миске с мелким порошком сапфира. Потом, сверяясь с записью в тетради деда, попросила Макса набрать на компьютере код 7471113.

– Только побыстрее, Макс. Этот код синей камеди позволит нам сэкономить время для изготовления магического эликсира, – объяснила она ему.

Андроид пробежал пальцами по клавиатуре – на экране появились названные цифры и слова:

7471113 KAMEDS [illegible]

«Истолочь камедь в пыль в течение шести минут и трех секунд. Потом жевать в течение четырех секунд или же выпить, разведя Акуа Салис. Будущее появится на десять минут. Когда эффект препарата закончится, почистить зубы пастой из ящериц».

– О Боже! Паста из ящериц... какая гадость! – Фьоре высунула язык и скривилась от отвращения.

Макс взял тюбик с пастой и положил его перед ребятами.

Нина, не спуская глаз с часов, в течение предписанного времени толкла в ступе камедь деревянным пестиком. Потом наполнила чайную ложку и подала Ческо, попросив медленно жевать в течение четырех секунд. Когда все взяли в рот приготовленный порошок, Макс уселся на табуретку и стал наблюдать за их реакцией. Один за другим ребята закрыли глаза, опустились на колени и, впав в транс, увидели будущее.

Их души установили между собой связь и начали полет. Они увидели город Толедо с

большой высоты. Облетели его и спланировали на башню разрушенного замка – мрачное строение, возвышавшееся посреди рощицы, рядом с ручьем. Они проникли через окно в башню, спустились по лестнице, обнаружили дверь, открыли ее и увидели тетю Андору, сидящую в плетеном кресле. Неподвижную, с отсутствующим взглядом, неспособную произнести ни слова. Она была точь-точь такая, какой ее запечатлел микрочип памяти андроида.

Тетя Андора не отвечала на вопросы и не узнавала Нину. Нина тронула ее волосы и увидела на коже головы глубокую царапину в виде буквы К. Рана, нанесенная, вероятно, рукой Каркона. Будущее бесстрастно продемонстрировало всем отчаяние Нины, которая подумала, что у тети украли мозг и заключили его в микрочип андроида, похожего на нее как две капли воды. Затем ребята увидели, как они берут Андору под руки и выводят из темницы, где она содержалась, и как только они выходят за порог, на них падает огромная металлическая сеть... На этом месте будущее отключилось.

Ребята упали на пол лаборатории и некоторое время лежали без чувств. Обеспокоенный Макс вскочил с табурета и проверил, бьются ли их сердца.

Первым пришел в себя Додо: ему почудилось, что он барахтается в сети, и он заорал как резаный. Медленно открыли глаза и остальные, тоже пытаясь освободиться от воображаемой сети, которую увидели в будущем.

Макс быстро успокоил их. Нина, расстроенная увиденным, посмотрела на андроида, лежавшего на столе, и сказала Максу:

– Сохрани микрочип памяти. У моей настоящей тети Андоры больше нет мозга. Он здесь, в микрочипе. Жизнь андроида связана с жизнью моей тети. Ты должен активизировать все схемы андроида. Я знаю, что это опасно. Но мы свяжем андроида металлической проволокой, и он не причинит никакого вреда.

Макс покачал головой и захлопал ресницами:

– Активиговать этого андгоида? Но это сумасшествие. И самоубийство. Он свяжется с Кагконом, и тот пгидет сюда. Нет, нет, Нина, я не стану делать этого.

– Ты должен, иначе моя тетя умрет. – Нина была настойчива.

Максу не оставалось ничего иного, как подчиниться ей.

Он надулся, взял тюбик с пастой ящерицы и бросил к ногам Нины.

– Намажьте им зубы, а то выпадут.

Ребята намазали пастой зубы, сразу же позеленевшие.

– Боже, мы походим на монстров, – засмеялась Рокси.

– Они будут такими все двадцать четыге часа. Смигитесь с этим, – заметил Макс, обматывая толстой стальной проволокой злобного андроида.

Рокси взяла Нину за руку:

– Там мы попадем в сеть. И можем сами стать узниками этого замка. Хорошо бы узнать, кто охраняет Андору, и помешать раньше, чем охранники что-либо предпримут. Мы видели лишь часть будущего, и нам неизвестно, чем все для нас окончится в Толедо.

Нина объяснила друзьям свой план:

– Когда мы войдем к тете, Макс активизирует андроида, тогда настоящая Андора придет в себя, и мы сможем бежать. Я использую Талдом, чтобы уничтожить того, кто захочет задержать нас в замке. Сейчас жезл Шестой Луны стал намного мощнее: внутри у него Атанор, Сильный Дух Вселенной. Вот увидите, у нас все получится!

– Но мы даже не знаем, против кого нам предстоит сражаться, – заметил Ческо.

– Это будет наверняка кто-то из посланцев Каркона, – с беспокойством ответила Нина.

Все было решено. Макс продолжал работу и монтировал на место электрические провода мерзкого андроида, а Нина готовилась достать листья фусталлы.

Она погладила Перо и вызвала золоченую сферу. Ребята увидели Сбаккио, весело скакавшего по лугу в сопровождении Тинтиннио и Ондулы. Нина просунула в сферу руку и сорвала пять крупных синих листьев фусталлы. Ондула подлетела к стенке сферы и послала всем воздушный поцелуй. Сфера исчезла так же внезапно, как и появилась, оставив ребят в восхищении: невозможно было привыкнуть к великолепным пейзажам Шестой Луны!

– Здесь по листу на каждого. Делаем все быстро. Выходим в сад и оттуда отправляемся в полет. Кто-нибудь боится?

Додо поднял руку.

– В общем, я... наверное, не смогу ле... ле... лететь с вами. Я боюсь упасть и разбиться о землю.

Рокси и Фьоре взяли его под руки и подняли над землей.

– Хватит трусить. Полетишь с нами. Мы уверены, тебе даже понравится.

Они вышли в сад, встали кружком, сосчитали до трех и принялись жевать синие листья Шестой Луны.

Люба, смахивающая пыль с ваз в Апельсиновом Зале, посмотрела в окно, увидела поднимающихся в воздух ребят и стала протирать глаза, не веря тому, что увидела! Она прошептала:

– Нина... Ниночка... детки... куда вы?.. – и упала без чувств на ковер, рядом с разбившейся вазой.

Ребята, держась за руки, ракетами взлетели в небо. Додо при этом махал ногами, словно плыл по реке, Фьоре восторженно повизгивала, Ческо, боясь потерять очки, задрал голову вверх, а Рокси, с самого начала казавшаяся смелее всех, закрыв глаза, что-то распевала. Нина с развевающимися волосами летела позади всех и руководила ребятами:

– Все налевоооо, теперь все направооо, не дергатьсяяяя!

Наконец им удалось достичь высоты в несколько сот метров, и они полетели параллельно земле. Был жаркий день, и здесь, в высоте, паря в течениях свежего ветра, Нина и ее друзья испытывали безграничное счастье.

– Смотрите, как красива отсюда Венеция! Отлично видно площадь Сан-Марко, колокольню, улочки, мост Риальто. Великолепно! – кричал Ческо.

– Собрались! Сейчас полетим к Толедо на высокой скорости. – Нина подняла Талдом и направила в сторону Испании.

Они перелетели заснеженные Альпы, паря над озерами, реками, лесами и городами. Все казалось маленьким-маленьким. Через четыре часа полета сквозь грозовые тучи, белые снежные облака и стаи птиц Талдом дал знак: подлетаем.

– Вон он, Толедо! Прямо под нами! Надо разглядеть замок, который мы видели в будущем! – прокричала Нина.

– Поворачиваем направо, там лес! Может, и замок тоже там! – крикнула в ответ Рокси.

– Летим! – откликнулись остальные.

Разрушенный замок нашелся в нескольких километрах от Толедо. Нина заметила башню и показала на нее. Все происходило точно так, как в виденном ими будущем.

Когда они приземлились на крышу замка, Нина сказала:

– Слушайте внимательно: когда мы будем выходить из комнаты с тетей Андорой, не стойте рядом со мной, я выстрелю Талдомом в того, кто бросит в нас металлическую сетку.

Андора, настоящая старая тетя Нины, сидела в плетеном кресле с отсутствующим взглядом. Нина позвала ее, но та не ответила. Она была жива, но мозг ее не работал. Все ее мысли были украдены Карконом, он перенес их в искусственный мозг подлого андроида, сделанного им по подобию тети Андоры.

– Тетя, тетя, я Нина. Посмотри на меня! Ты меня не узнаешь?

Женщина даже не слышала слов девочки, ничего не дрогнуло в ее глазах.

Нина молила Макса включить андроида как можно быстрее, чтобы тетя пришла в себя.

Но будущее уже явило им неприятность, которой суждено было случиться. И она случилась, но почему-то раньше, чем ожидалось: пока ребята ждали, когда тетя Андора очнется, они почувствовали, как их стягивает тяжелая металлическая сеть. У Нины не оказалось времени даже привести в действие Талдом, и она вместе с остальными ребятами забарахталась в сетке, которую набросили на них два андроида шести и семи лет, мальчик и девочка, каждый ростом не больше метра, но обладавшие силой взрослого человека.

Это они охраняли тетю Андору все это время. Созданные Карконом, они подчинялись приказаниям другой Андоры, злобной самозванки, которая частенько наведывалась в замок проверить состояние бедной женщины, потому что если одна чувствовала себя плохо, так же чувствовала себя и другая, если одна ела, то и вторая должна была делать то же самое. Другими словами: две Андоры, настоящая и фальшивая, зависели друг от друга. И если сейчас андроид был без сознания, то и настоящая тетя была не в состоянии осознать действительность.

Металлическая сеть стягивала ребят все туже и туже, они не могли и пальцем пошевелить, чтобы освободиться. Тем не менее Нине удалось с большим трудом достать Талдом из кармана, просунуть клюв птицы в ячейку и выстрелить в сторону двух андроидов, которые дернули сеть, заставив ребят и тетю упасть на пол.

Нина стреляла раз за разом, пока не попала андроиду-мальчику в лоб.

– Давай, Нина, стреляй еще! Попади в другого! Мы должны выбраться из сети! – кричал Ческо.

Пламя выстрелов раскалило металл сетки, и она развалилась. Борьба с андроидом-девочкой была очень трудной, та обладала невероятной силой. Она схватила Рокси за горло и стала душить. Нина, а за ней Додо бросились Рокси на помощь, и общими усилиями им удалось отбить подругу. А Ческо и Фьоре схватили оставшуюся целой часть сетки, накинули ее на девочку-робота, свалили на землю и спеленали, словно кокон.

Нина подбежала к тете, лежавшей на полу.

– Помогите мне поднять ее. Я думаю, Максу осталось недолго возиться с ложной Андорой, и тетя скоро придет в себя.

И точно, в этот момент в Акуэо Профундис Макс подключил последний микрочип к электрической системе, и андроид Андора, привязанный крепкой стальной проволокой к лабораторному столу, открыл глаза и начал мыслить. Его первой реакцией была ярость:

– Дрянная куча металла. Освободи меня! Освободи сейчас же! Мне надо вернуться к Каркону. Где эта негодная девчонка? Я должна убить ее!

Макс спокойно выслушал гневную речь андроида, засмеялся и ответил:

– Куча металла – это ты! Можешь визжать сколько угодно. Только отсюда тебе уже не выйти. И не сегди меня, а то я тебя опять выключу.

Настоящая тетя Андора внезапно подняла голову. Она размяла руки и ноги, повертела шеей налево-направо, глубоко вздохнула и осмотрелась. В комнате, где она провела в одиночестве столько времени, она обнаружила пятерых ребят и узнала среди них Нину.

– Моя родная девочка... что ты тут делаешь? Я так давно хотела тебя увидеть и прижать к сердцу. Я так боялась за тебя и за деда Мишу. Подойди, поцелуй свою тетю.

Нина подбежала к ней и крепко обняла.

– Милая тетя, мне известно все, что с тобой случилось. Но теперь все позади. Мне столько надо рассказать тебе!

– Расскажи мне все, малышка, и прежде всего, как ты меня нашла?

– Мы воспользовались твоим двойником андроидом. Ты, наверное, еще не знаешь печальную новость: дед Миша умер...Ты когда-нибудь слышала о Ксораксе?

– Конечно, мне известно о Шестой Луне. Все эти годы мерзкий андроид, моя копия, много рассказывал мне о великих победах и завоеваниях Каркона, и я знаю, что дед Миша умер, – ответила она со слезами на глазах.

– Дорогая тетя, дедушка умер на Земле, но живет на Ксораксе. Я его там видела! Я летала на Шестую Луну!

– Правда? Но тогда ты стала настоящим алхимиком. Самым настоящим магом. Дедушка всегда говорил, что ты молодец и далеко пойдешь.

– Молодец? Может быть... не знаю. Мои друзья, которых ты видишь, очень мне помогли. Благодаря им твой ужасный близнец, созданный Карконом, в наших руках. Мы смогли проникнуть в его мозг и узнать, где они тебя прячут. Я так счастлива, что мы тебя нашли.

– Значит, моя механическая копия жива? – изумилась тетя.

– Да, жива. Но и ты жива благодаря ей. А она благодаря тебе. Не думай больше об этом, мы сейчас отправимся домой, к Кармен.

– Кармен, любимая моя сестра... Представляю, что она наговорит, когда меня увидит.

– Я думаю, не стоит ей говорить, что она столько лет жила рядом с андроидом. Она этого не поймет, – сказала девочка, и тетя с ней согласилась.

Андора подошла к племяннице, взяла ее руку, посмотрела на звездочку и погладила ее. Затем взяла Нину за подбородок и спросила:

– Ты не можешь мне объяснить, почему у тебя и твоих друзей такие зеленые зубы?

– Это длинная история, – улыбнулся Ческо. – Сейчас у нас нет времени ее рассказывать.

Все громко рассмеялись и вышли из каморки, а когда оказались на улице, Андора поинтересовалась, каким образом они намерены добираться до Мадрида.

– Мы по... по... полетим, – пояснил Додо.

– Вы с ума сошли! Я старая уставшая женщина. И потом, я не умею летать, – ответила с легким беспокойством тетя.

– Тебе достаточно будет съесть листик фусталлы... – засмеялась Нина.

– Фусталла? А это еще что такое?

– Магическое растение с Ксоракса. Мы можем лететь еще четырнадцать часов, этого хватит, чтобы побывать в Мадриде и вернуться в Венецию.

– Даже и не думайте. Я поеду поездом.

Андора перепугалась не на шутку. Додо подошел к ней и прошептал в самое ухо:

– Я тоже очень бо... бо... боялся, но полетел, и мне по... по... понравилось.

Ческо и Нина взяли Андору за руки и, крепко держа, взмыли в небо. Обмершая от страха женщина чуть было не потеряла сознание, но быстро успокоилась и с любопытством стала рассматривать землю.

– Я чувствую себя легкой как пушинка. Это прекрасно! – восклицала она.

Так пятеро друзей вместе с тетей Андорой летели в испанском небе, напоминая разноцветных бескрылых ангелов. Уже вечерело, когда они долетели до Мадрида. Улицы и здания города были освещены. Нина направила Талдом в сторону Центрального парка, рядом с которым находился особняк семьи Де Ригейра.

Дул мягкий свежий ветерок, солнце только что зашло, и небо было темно-синего цвета с фиолетовыми полосами. Ребята спланировали в маленький дворик виллы, в который выходили открытые окна; занавески на них слегка колыхались. В окне кухни горел свет: вероятно, Кармен хлопотала у плиты. Тетя Андора услышала ее веселое насвистывание и почувствовала, что она наконец-то дома. Она с жаром обняла племянницу, поправила платье, провела руками по волосам, растрепавшимся во время полета, и постучала в дверь.

Когда Кармен открыла, в руках у нее была миска, которую она от неожиданности выронила:

– Андора! Я и не ждала тебя в такой час!

Андора крепко обняла ее, и они поцеловались. Кармен отступила, с удивлением глядя на Андору: она не верила своим глазам и не понимала, что нашло на сестру, обычно такую злую и колючую.

– Кармен, сестра моя... я тебя так люблю! – сказала Андора, не сдерживая счастливых слез.

Нина с друзьями, спрятавшись за кустами, с удовольствием наблюдали за их встречей. Как только дверь за сестрами закрылась, они взлетели в звездное небо и взяли курс на Венецию.

Глава четырнадцатая
Каменный Кубок и Крылатый Лев

Няня намеревалась разбудить Нину ровно в 7 утра и к этому времени уже приготовила для нее обильный завтрак. Ей не терпелось обсудить с ней увиденное вчера. Наливая горячее молоко в чашку, она бормотала себе под нос:

– Они летели, я же видела своими глазами: ребята летели. Нина должна объяснить мне, как это случилось. У меня никогда не было галлюцинаций.

Войдя к Нине в спальню, Люба увидела девочку лежащей на кровати в одежде. Она разбудила ее поцелуем и прошептала:

– Уже 7 часов, вставай, малышка, экзамены ждут тебя.

Услышав голос Любы, Нина открыла один глаз, затем другой и села в постели. Усталости как не бывало, только небольшое волнение перед предстоящим экзаменом. Она схватила большой кусок абрикосового пирога, запила молоком и обняла няню.

– Безе, я тебя так люблю! Сегодня будет прекрасный день, – сказала она с полным ртом.

– Конечно, прекрасный. Сбудется все, чего ты желаешь, – ответила Люба, расчесывая ей волосы, и добавила: – Вчера я видела, как ты летела... летела вместе с другими ребятами. Скажи мне, что я не сошла с ума и что это было на самом деле.

– Да, мы летали. На самом деле. Но прошу тебя, никому об этом не рассказывай. – Нина улыбнулась и подмигнула няне.

– Нет, нет, никому не расскажу. Но я боюсь за тебя. Вы занимаетесь чем-то опасным, – вздохнула Люба, так ничего и не поняв.

Уже на пороге Нина с книжками в руках повернулась и сказала:

– Вчера я нашла тетю Андору. Настоящую. Она вернулась домой к Кармен. Если они позвонят, притворись, что ты ни о чем не знаешь. И будь любезной с Андорой. Она теперь очень хорошая.

Люба покачала головой и подняла глаза к небу, не зная, что ответить. В который раз Нина заставляла ее удивляться.

Школа находилась неподалеку от виллы «Эспасия», и Нина была в ней уже в 8.30. В классе находились четыре учителя и группка ребят. Она была четвертой в очереди, и когда учителя приступили к экзаменам, их вопросы показались Нине легчайшими, на все у нее были ответы.

– Приглашается Нина Де Нобили! – услышала она голос очень толстой учительницы.

– Я готова, – ответила Нина, поднимаясь со стула.

– Так вот она какая, внучка профессора Михаила Мезинского! – воскликнул худой учитель с длинным носом. – Подойди, дорогая, садись, будешь отвечать на наши вопросы. Надеюсь, твой несчастный дедушка многому тебя научил.

Задания и в самом деле были простыми, Нина без запинки отвечала на вопросы по истории, географии и математике. И вдруг в тот момент, когда она открыла рот, чтобы ответить на очередной вопрос, в класс, словно фурия, влетел директор школы с криком:

– Украли статую Крылатого Льва с площади Сан-Марко! Символ Венеции! Ее украли этой ночью! Колонна, на которой она стояла, пуста! Это трагедия! Мэр города созвал срочное совещание городского совета, мы должны быстро бежать туда!

Учителя разом вскочили с мест и принялись оживленно обсуждать происшествие, а ученики, широко раскрыв глаза, смотрели на них, не зная, что им делать.

– Дети, это очень важное дело! Экзамены переносятся на завтра, – обратился к ним директор школы.

– А мне надо приходить завтра? – спросила Нина.

– Нет, тебе не надо. Ты уже все сдала. Можешь возвращаться домой.

Это был ответ, которого она ждала.

Нина так и подпрыгнула от радости и пулей вылетела из школы. Пока она бежала домой, она размышляла над известием о пропаже статуи Крылатого Льва. По дороге она встретила всю четверку друзей, которые, узнав, что она сдала экзамены, тоже запрыгали и бросились поздравлять ее.

– Спасибо, спасибо! – отвечала польщенная Нина. – Но есть событие поважнее. Кто-то украл Крылатого Льва, и это очень подозрительно. Я думаю, без Каркона здесь не обошлось.

– Каркон? А зачем ему красть Льва? – спросила недоуменно Рокси.

– Я не знаю. Просто интуиция. Может, говорящая Книга объяснит, что к чему. Но если она ответит на этот вопрос, значит, дело касается Шестой Луны, – ответила Нина.

Когда они вошли в дом, Нина повисла на шее Любы, сообщив ей о сданных экзаменах, бросила книги на пол и вместе с друзьями поспешила в лабораторию деда. Как обычно, она положила руку со звездой на жидкую страницу и спросила:

– Книга, скажи, какой секрет хранит Крылатый Лев?

Лев вырублен из древнего камня,
Но его голубые зубы – настоящие.
Если его разбудит луч Зла,
Венеция окажется в большой опасности.
В его холодной пасти скрыта тайна,
Которую лучше не тревожить.
Кто с помощью обмана
Хотя бы дотронется до Каменного Кубка,
Того ждут адские муки.

Книга закрылась. Нина опустилась на табурет и задумалась. Она ничего не поняла из сказанного Книгой. Никогда прежде она не слышала ни о Каменном Кубке, ни о Крылатом Льве, даже от деда. Но интуиция подсказывала, что скорее всего существует какая-то связь между кражей Льва, хранимым им секретом и Карконом. А если Каркон охотится за этим секретом?

Ребята вполголоса обсуждали сказанное Книгой, но никому в голову не приходило, каково назначение Кубка... У Ческо возникла идея:

– Давайте поищем ответ в книгах профессора Миши или у Бирова. Может, в них мы найдем подсказку.

Нина подскочила на табуретке.

– Точно! Тадино Де Джорджис! Древний алхимик... Уж он точно должен был написать о венецианском Льве!

Рокси и Ческо пошли за книгами Тадино в Зал Дожа. Нина пролистала один за другим три толстенных и тяжеленных фолианта, но не нашла ничего интересного. Фьоре в это же время читала небольшую книжку и на 115-й странице нашла лист пожелтевшей бумаги с рисунком стакана и надписью: «Приливы и отливы стабильные, живая вода. Приливы и отливы небесного цвета, умирающая вода».

– Нина, прочти это, может, пригодится, – протянула она бумагу Нине.

Та внимательно прочитала. Потом еще раз...

– Ну конечно! Это же о Каменном Кубке! Это он управляет приливами и отливами. Волна поднимается и затопляет Венецию, но Кубок контролирует количество воды, и поэтому Венеция до сих пор жива. Если Каркон завладеет Кубком, он сможет затопить Венецию! Это ужасно! Надо срочно найти Льва и вернуть его на место, иначе быть беде...

Оставалось понять одно: зачем Каркону уничтожать Венецию? Зачем подвергать риску собственный дворец и лаборатории? Что у него в голове?

Ребята решили посоветоваться с Максом и поспешили в Акуэо Профундис. Макс увлеченно изучал электрическую схему андроида, все еще привязанного к лабораторному столу.

– Макс, ты когда-нибудь слышал о Крылатом Льве и Каменном Кубке? – с порога спросила его Нина.

– Газумеется. Это очень важная статуя. Кубок находится внутги нее. До него нельзя дотгагиваться, иначе с Венецией случится большое несчастье. А почему ты меня об этом спгашиваешь?

– Ее украли. Может быть, даже Каркон. Но для чего она ему, я пока не понимаю, – ответила Нина.

– Спгоси у Этэгэи, она все знает.

Макс как всегда оказался прав.

Нина села к компьютеру и послала Великой Матери Алхимиков сообщение:

«Этэрэя, это Нина 5523312, я спрашиваю: если Каркон украл Крылатого Льва, то зачем?»

Ответ пришел тотчас же:

Лев хранит Каменный Кубок,
Который управляет приливами и отливами,
Как верно написано у Тадино Де Джорджиса.
Каркон хочет завладеть Крылатым Львом,
Чтобы превратить его в своего наместника
И иметь зверя такого же
Магического и сильного,
Чтобы победить птицу Ксоракса.
Останови Каркона!
Верни Крылатого Льва на его колонну.
Его судьба – оставаться мраморным
И хранить Каменный Кубок.

Ответ Этэрэи объяснил многое, но не унял тревоги. Нина хорошо знала: пока у Каркона есть копия Ямбира, ей не довести до конца миссию по спасению Ксоракса: Черный Маг будет постоянно мешать ей, и поиск остальных Тайн будет делом трудным и опасным. Нина решила снова пообщаться с говорящей Книгой и спросить, где сейчас может находиться статуя Крылатого Льва.

– Я с Додо вернусь в лабораторию деда, а вы с Максом ищите другие решения. – Нина взяла под руку Додо, который покраснел от такой чести, и они вышли из комнаты.

Оказавшись перед Книгой, Нина спросила:

– Книга, где я могу найти Крылатого Льва?

Путь к нему очень опаснен.
Чтобы пройти его как должно,
Тебе надо воспользоваться Талдомом.
До тех пор пока будет биться твое сердце,
Ты не должна дышать,
Потому что тебе придется плыть под водой.
Сожми руку твоего друга
И держи глаза закрытыми до тех пор,
Пока я тебе не велю открыть их.

Книга осталась распахнутой, жидкая страница подернулась рябью, и на ней появились пенистые волны. Над головами Нины и Додо сформировалось фиолетовое облако, полился дождь кислородных пузырьков, Книга поглотила их, и поток ледяной воды с огромной скоростью понес куда-то ребят. Они не могли открыть рта и глаз, магическая сила, вращая их, тянула в глубины жидкой страницы.

После четырнадцати оборотов раздался голос Книги:

Сейчас можете открыть глаза.

Нина посмотрела на Додо и увидела его надутые щеки и испуганные глаза. Он загребал руками и ногами, пытаясь всплыть на поверхность. Она тоже не дышала и чувствовала, что вот-вот начнет задыхаться, силы покидают ее, сердце готово остановиться. Из последних сил она прижала Талдом к груди, и в этот момент голова Гуги повернулась вокруг оси, и из клюва потекла синяя жидкость, которая обволокла ребят.

Додо и Нина перестали видеть друг друга: они стали невидимыми! И к огромному удивлению поняли, что в состоянии дышать. Они не могли ни разговаривать, ни видеть друг друга, и, чтобы не потеряться, сцепили руки, пожав их в знак того, что все в порядке, страха нет.

Так, рядом друг с другом, они плыли среди разноцветных рыб и гигантских водорослей, пока вдруг на самом дне моря не увидели призрак. Тень. Они медленно подплыли и обнаружили лежащего Крылатого Льва. Но выглядел он необычно: его прежде мраморное тело было покрыто шерстью, как у настоящего льва, а крылья – огромными коричневыми перьями. Подводные течения колыхали его густую гриву, лишь только длинный хвост, полузасыпанный песком, лежал неподвижно. Ребята подумали, что Лев мертв, и подплыли поближе, чтобы получше рассмотреть его. Поднятая ими волна заставила Льва повернуть голову в их сторону, однако, ничего не увидев, он положил голову на огромную раковину. Иногда животное открывало рот, и в воду стекали капли крови, видимо, у Льва была рана в горле, а злые чары обезволили его и сделали неопасным. Чтобы достать Каменный Кубок, Каркону было необходимо превратить мраморную статую в животное из мяса и костей.

Ребята подплыли к самой морде Льва. В это время он открыл огромную пасть и из нее... выплыл Каркон собственной персоной, целый и невредимый, даже не поцарапавшись об острые львиные зубы и не порвав ими свой волшебный плащ. Лицо Каркона сияло: в руках он сжимал Каменный Кубок и пергаментный свиток. Маг огляделся по сторонам, но увидел только воду, песок и нескольких каракатиц. Нина и Додо замерли, чуть не запутавшись в плаще Каркона. Каркон осмотрел Льва и усмехнулся: несчастное животное продало свою душу в обмен на вечную жизнь и за это позволило ему извлечь Кубок. Теперь он в полной власти Каркона! Князь несколько раз повернул голову, скрутив шею в жгут, словно она у него была резиновая, и широко раскрыл глаза. И тотчас из них полилась черная жидкость, которая накрыла Льва. После чего Каркон произнес:

– Теперь ты опять станешь мраморным и вернешься на свою колонну. Скоро ты мне понадобишься. Но Кубок я оставлю себе. Ты теперь мой слуга навеки.

Слова Каркона падали в воду, образуя гигантские пузыри, которые тотчас же лопались. Каркон сделал круг над крылатым животным и начал всплывать. Нина последовала за ним, оставив Додо рядом со Львом, который в этот момент опять открыл пасть, и водоворот воды втянул мальчика внутрь.

Нина не могла позволить Каркону исчезнуть и ухватилась за край его плаща. Маг, почувствовав, что кто-то тащит его, злобно обернулся, но никого не увидел и остановился в недоумении. Воспользовавшись этим, Нина выхватила у него из руки Каменный Кубок и скользнула прочь. Каркон задергался как безумный: ему надо было всплывать, чтобы вдохнуть воздуха, но и терять драгоценный предмет, ради обладания которым потратил столько усилий и энергии, он не хотел. Маг никак не мог догадаться, что за сила вырвала и утащила Кубок из его руки. Он видел, как Кубок быстро перемещается среди морских ежей и рыб, словно уносимый призраком, и рванулся за ним. Заметив это, Нина поняла, что надо сделать: она сунула Кубок в карман, и тот стал невидим, как и она сама.

Каркон остановился около гигантского растения, посмотрел на песок, на рыб, на звезд... Кубка нигде не было видно! Обезумев, он начал бешено вращаться вокруг самого себя. Взвихрившаяся вода принесла тысячи медуз, облепивших зловредного Мага плотным покрывалом. Вокруг зазвучала оглушительная музыка, и нечеловеческий крик заставил задрожать все вокруг...

Нина успела увидеть, как плащ ее врага уносит течением. Радости ее не было предела. Она устремилась обратно ко Льву, лежавшему без чувств животом вверх в красной от крови воде. Магия Каркона теряла силу, и животное умирало. Нина слышала, как с каждой секундой его сердце бьется все медленнее и медленнее, и поняла: у нее осталось очень мало времени, чтобы вернуть Кубок на место и освободить Додо.

Обеими руками она раздвинула челюсти гигантской кошки и, собрав всю храбрость, стараясь не видеть саблевидных зубов, положила в львиную пасть Кубок. Как только магический предмет вернулся на место, глаза Льва вновь сделались каменными, а язык начал твердеть.

Нина пошарила руками в поисках Додо, нащупала его ногу, ухватилась за нее и стала изо всех сил тащить мальчика. Нина выхватила его буквально за секунду до того, как лев захлопнул пасть, снова ставшую каменной. Ребята устремились к поверхности, и, когда их головы показались над водой, они вновь стали видимыми.

– Аааааааааааааааааа! Воздух! Я жива! – Это было первое, что выкрикнула Нина, и сразу же стала приводить в чувство Додо, пока и он не задышал полной грудью.

– Я ум... ум... умер? – спросил он, открывая глаза.

– Нет, мой друг, мы не просто живы, но и сделали все, что хотели! – радостно захлопала руками по воде Нина.

Сильнейший рокот заставил ребят обернуться: из моря показалась голова со стоящей гривой, а за нею мраморное тело Крылатого Льва, вновь ставшего каменным. Символ Венеции возвращался на свое историческое место на площади Сан-Марко.

– Летит! Статуя летит! – воскликнула Нина, протирая глаза.

– Фа...фан...тастика! – выдохнул Додо и поплыл к берегу.

Лев, планируя на своих тяжелых крыльях, пересек небо над заливом. С переполненного людьми пляжа до ребят донеслись крики и смех. Люди стояли, задрав головы, чтобы рассмотреть фантастический феномен. Одни радостно аплодировали, другие убеждали, что это галлюцинация.

Нина и Додо, обессиленные, добравшись до берега, свалились у самой кромки воды, но никто не обращал на них внимания: все смотрели в небо. Нина, лежа на песке, вдруг обнаружила, что сжимает в руке странную трубку, напоминающую свиток пергамента, который она под водой вырвала из рук Каркона вместе с Кубком!

Она развернула свиток и прочла:

«С этого момента и навечно я принадлежу Каркону. Я буду сражаться за него и убью Гуги. Когда Каркон станет самым могущественным Магом Вселенной и Ксоракс будет уничтожен, я стану Царем всех существующих зверей. Я буду богат и счастлив. Даже если я опять стану каменным, моя душа будет всегда принадлежать Злу.

Крылатый Лев Венеции»

– Додо, смотри, что я нашла, – удивленно сказала Нина. – Это соглашение, которое Каркон заключил с Львом. Этэрэя была права, Каркон хотел превратить его в жестокое живое оружие против Гуги.

– Каркон – самый настоящий дьявол! – ответил, тяжело вздохнув, Додо.

– Но ему ничего не удалось. Море утащило его навсегда, Лев вернулся на свою колонну, и Кубок в безопасности. Венеция спасена! – подвела итог счастливая девочка.

Этим вечером в Венеции был большой праздник. Горожане поднимали тосты за чудесное возвращение мраморной статуи. Улочки и площади прекрасного города были украшены тысячами разноцветных лампочек. Нина и Додо вместе с друзьями наблюдали за всеобщим весельем на набережной Джудекки. На столах вдоль улицы стояли гигантские подносы с разными лакомствами и горами мороженого. Венецианцы были искренне счастливы, хотя никто из них так и не понял, что произошло на самом деле. Ческо, с куском арбуза в руке, смотрел на Нину и, когда огонь салюта осветил ее лицо, сказал:

– Это праздник в вашу честь. Ты и Додо совершили подвиг. А Каркон заслужил такую смерть! Теперь он вечный пленник моря! А Ксоракс вновь обретет покой. Это только вопрос времени.

Нина погладила звездочку на своей правой ладони и задумчиво сказала:

– Время? Время Служит, Но Не Существует. Запомни это навсегда.

ЗАПИСКИ ДЕДА МИШИ

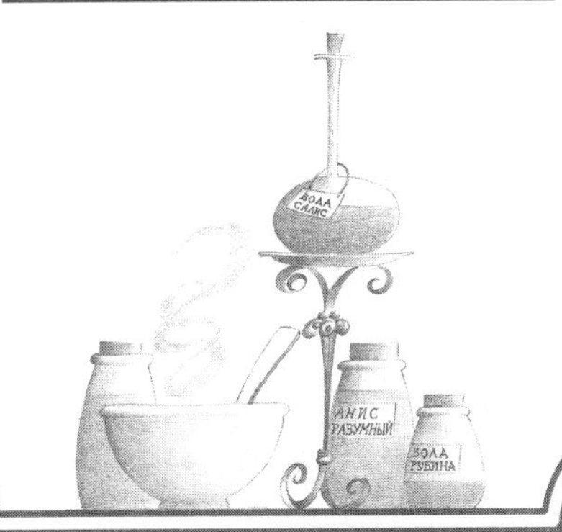

6065510

АЛХИМИЯ ШЕСТОЙ ЛУНЫ

Когда Голубое Облако рассеивается, свет становится интенсивнее и ярче, миллиарды и миллиарды маленьких и больших сфер рождаются одна за другой и, танцуя, занимают свои места. Одни становятся огнем, другие – водой, третьи – землей и четвертые – воздухом. Магическая Вселенная освещает их своим Светом, и начинает звучать музыка рождения жизни. Так родилась Галактика Алхимидия, а с ней Ксоракс – Шестая Луна Третьего Солнца, населенная мыслящими существами из света, умеющими пользоваться Магией и Алхимией для описания Вселенной. Различные субстанции, вещества, металлы, камни, жидкости, пары и порошки соединяются, перемешиваются и разделяются, служа формированию Жизни.

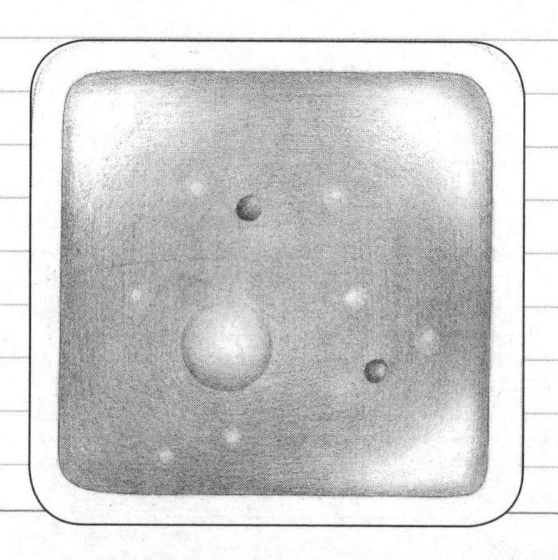

6065511 ВОДА

Прозрачная и подвижная субстанция, первоисточник абсолютной жизни, символ Слабого Духа.

6065512 ЗЕМЛЯ

Темная и неподвижная материя (изумрудного цвета), первоисточник видимой жизни, символ Чарующего Духа.

6065513 ОГОНЬ

Видимый и летучий, пульсирующее сердце всей Вселенной, первоисточник жизненной энергии, символ Сильного Духа.

6065514 ВОЗДУХ

Легкий, невидимый и подвижный, первоисточник жизни без времени, символ Светящегося Духа.

МИНЕРАЛЫ И МЕТАЛЛЫ ШЕСТОЙ ЛУНЫ

Все минералы и металлы Ксоракса обладают магическими свойствами, и никакая враждебная сила не в состоянии изменить их. Они составляют основу Добра в его борьбе со Злом. Строго соблюдать пропорции при изготовлении препаратов!

7471101 КРОВЬ СМЕРТОНОСНАЯ

Состоит из человеческой крови, смешанной с серой и изумрудной водой. Перегонять в течение 20 минут и 7 секунд. Является смертельным ядом, но, взятая в мизерных дозах, может служить для мнимой смерти.

7471102 ЗОЛОТО ФИЛОСОФСКОЕ

Составляется из ртути и серы, очищенных при свете звезд и Третьего Солнца. Предметы, изготовленные из Золота Философского, обладают сильными магическими свойствами и служат для связи с энергетическим полем Шестой Луны.

7471103 СВИНЕЦ

Основной металл для извлечения духовной энергии. Достаточно трех капель для зарядки человека энергией.

7471104 СЕРЕБРО

Очищает и придает белизну коже. Мыться в смеси 8 литров жидкого серебра с Акуа Салис.

7471105 МЕДЬ

Дает жизненную силу, если выпить 15 капель, не отрывая глаз от безоблачного неба.

7471106 ЖЕЛЕЗО

Святой металл, будучи смешанным с золотом, делает непобедимым.

7471107 СУРЬМА

Очищает организм от любых ядов и усиливает мыслительные способности, но при передозировке может привести к смерти. Одна доза – 3 капли.

7471108 КВАРЦ

Нейтрализует воздействие зловредных душ и временно блокирует их.

7471109 СЕРА

Ослепляет на несколько часов. Может быть полезным также для усиления воодушевления.

7471110 КАЛИЙ

Заставляет говорить во сне, вызывает галлюцинации и предвидения. Для достижения эффекта достаточно 31 капли.

7471111 РТУТЬ ИЗМЕНЧИВАЯ

Состоит из чистой ртути и зеленого грунта Шестой Луны, приводит жидкости в твердое состояние.

7471112 МАГНИЙ ЦВЕТОВОЙ

Состоит из чистого магния и алмазного порошка, позволяет изменять цвета.

7471113 ОЛОВО ЛЕТУЧЕЕ

Состоит из чистого олова и рубиновой воды, позволяет изменять запахи. Перегонять 2 минуты и 54 секунды.

7471114

Состоит из простой камеди, смешанной с порошком сапфира. Будучи выпитой или сжеванной, позволяет проникать в будущее. Использовать только в случаях острой необходимости, потому что многоразовое использование приводит к выпадению зубов.

7471115

Состоит из чистого меда и росы, делает счастливым и помогает изгонять грусть. Перегонять в течение 4 часов и 34 секунд.

7471116

Состоит из морской соли и изумрудной воды. Смешать и перегонять в течение 1 часа и 43 секунд. Будучи выпитой или брызнутой в лицо, блокирует работу мозга и делает неподвижным тело на два часа.

7471117

Состоит из вонючих цветов Шестой Луны (скиффио), содействует приведению души и тела в безобразный вид на несколько часов. Перегонять в течение 3 часов.

8090012

ДРАГОЦЕННЫЕ КАМНИ ШЕСТОЙ ЛУНЫ

Топаз, Изумруд, Алмаз, Рубин, Сапфир используются в магических препаратах. Тоазил – драгоценный камень красного цвета – существует только на Ксораксе. Если дотронуться до него три раза, прокричав его название, становишься невидимым. Того же эффекта можно достичь и с помощью Алмаза и Золота Философского, если посыпать ими человека, который перед этим выпил Световую Эссенцию. Световая Эссенция позволяет трансформировать тело в свет... в чистую энергию.

8833105

ЖИВОТНЫЙ И РАСТИТЕЛЬНЫЙ МИР ШЕСТОЙ ЛУНЫ

Животный и растительный мир Ксоракса уникален по отношению ко всей Вселенной. Ксоракссианцы очень уважают его, прежде всего за магические свойства. Алхимическое равновесие Шестой Луны – обязательное условие для выживания всех форм жизни.

8833106

Тысячесветная магическая птица. Имеет четыре крыла и только одну ногу, золотой клюв и красные глаза. Издает нежнейшие мелодии, и с ее крыльев сыплется магическая золоченая пыль, которая защищает от Зла.

8833107 

Животное в форме колокола, высотой около одного метра, покрытое фиолетовыми и голубыми перьями, с черными глазами и ртом. Всегда весел, при ходьбе производит звук: тин...тин...тин. Обладает способностью приносить спокойствие и душевную радость.

8833108

Животное в форме большого ватного тампона или теннисного мяча, белого цвета, уши и рот желтые. Передвигается на двух пружинных лапах, благодаря которым делает гигантские прыжки. Когда находится в хорошем настроении, пускает огромные мыльные пузыри. Его присутствие придает храбрость и уверенность в себе.

8833109

Маленькая бабочка с человеческим лицом, апельсинового цвета. У нее маленькие ручки и ножки, и, когда она летает, поет, привлекая всех живых существ Шестой Луны. Очень умная, но слегка боязливая. Становится магической, когда съедает порошок рубина.

8833110

Бирюзовая рыба, маленькая и неуклюжая. Издает оглушительный визг в случае опасности. Может жить и вне воды, откладывает маленькие яйца, содержащие драгоценные магические камни.

8833111

Мелкий цветок Шестой Луны красного цвета. Имеет магические свойства. Съев его, можно проникнуть в прошлое. Обладает сильным и приятным ароматом.

8833112

Гигантское растение с крупными листьями синего цвета. Обладает магическими свойствами и создает атмосферу спокойствия. Если съесть его лист, можно летать в течение 24 часов.

8833113

Черный цветок, отвратительно пахнущий, но очень питательный. Излюбленная пища Тинтиннио. Если на его листьях настоять изумрудную воду, можно получить очень ядовитую и смертельную субстанцию.

КОРАНКА

Лес Шестой Луны, посещать который могут только ксораксианцы, для остальных это невозможно. Описывается как огромное пространство, заросшее гигантскими деревьями.

Необходимо искать другие алхимические формулы и элементы... И создать их как можно быстрее.

ТАЛДОМ ЛЮКС

Талдом Люкс имеет форму жезла и изготовлен из Золота Философского. На его вершине голова Гуги с глазами из гоазила, которые стреляют ярчайшим лучом. Талдом – волшебный меч Белых Магов Шестой Луны. Такой есть у каждого ксораксианца. Свойства Талдома многообразные и неописуемые: он может делать невидимым, создавать сильное энергетическое поле, обращенное против врагов. Только Белые Маги и алхимики могут использовать Талдом...

ЦВЕТА ШЕСТОЙ ЛУНЫ

Цвета и оттенки Ксоракса – те же, что существуют во всей Вселенной. От цветов Шестой Луны пошли цвета небосвода. Их особенность в том, что они блестящие и нестираемые.

– *Красный*

– *Зеленый*

– *Коричневый*

– *Желтый*

– *Голубой*

– *Черный*

– *Белый*

– *Синий*

– *Серый*

– *Бирюзовый*

– *Фиолетовый*

– *Лиловый*

– *Розовый*

– *Оранжевый*

Оглавление

Витчер М.

B54 Нина – девочка Шестой Луны: Книга первая: Роман/ Пер. с итал. В. Николаев. – М.: Махаон, 2008. – 416 с.

ISBN 88-09-02717-5 (итал.)
ISBN 978-5-18-000908-1 (русск.)

Муни Витчер – Лунная волшебница – псевдоним современной итальянской писательницы, написавшей серию книг о девочке Нине и ее друзьях, в которых ей удалось создать удивительный мир реальности и сказочного триллера.

Главная героиня, мадридская школьница по имени Нина, узнав о загадочной смерти своего деда, мага и алхимика, приезжает в Венецию и становится его наследницей. Михаил Мезинский завещает ей не только магическую Книгу и другие атрибуты магии и алхимии, но и главное дело своей жизни – спасение планеты Ксоракс, или Шестой Луны. Нина и ее друзья вступают в борьбу с Черным Магом, князем Карконом, и его приспешниками.

ББК 84.4 (итал.)

Для среднего школьного возраста

Муни Витчер
НИНА – ДЕВОЧКА ШЕСТОЙ ЛУНЫ

Печатается по изданию: Moony Witcher «La bambina della Sesta Luna» Guinti Editore S.p.A., Firenze-Milano, 2002

Перевод на русский язык *В. Николаев*
Оформление обложки *О. Кондратьева*
Дизайн *Т. Мудрак*

Ответственный редактор *В. Рябченко*
Корректор *Т. Филиппова*
Технический редактор *Т. Фатюхина*
Верстка *Н. Козель*

ГС № 77.99.02.953.Д.008333.09.06 от 14.09.2006.
Подписано в печать 15.10.2007.
Формат 84x108 $^{1}/_{32}$. Бумага офсетная.
Печать офсетная. Усл. печ. л. 21,84.
Доп. тираж 20 000 экз. Заказ 5790.

ООО «Издательская Группа Аттикус» —
обладатель товарного знака Machaon.
119991, Москва, 5-й Донской проезд, д. 15, стр. 4.
Тел. (495) 933-7600, факс (495) 933-7620.
E-mail: sales@machaon.net
Наш адрес в Интернете: www.machaon.net

Отпечатано с электронных носителей издательства.
ОАО "Тверской полиграфический комбинат". 170024, г. Тверь, пр-т Ленина, 5.
Телефон: (4822) 44-52-03, 44-50-34, Телефон/факс: (4822)44-42-15
Home page - www.tverpk.ru Электронная почта (E-mail) - sales@tverpk.ru

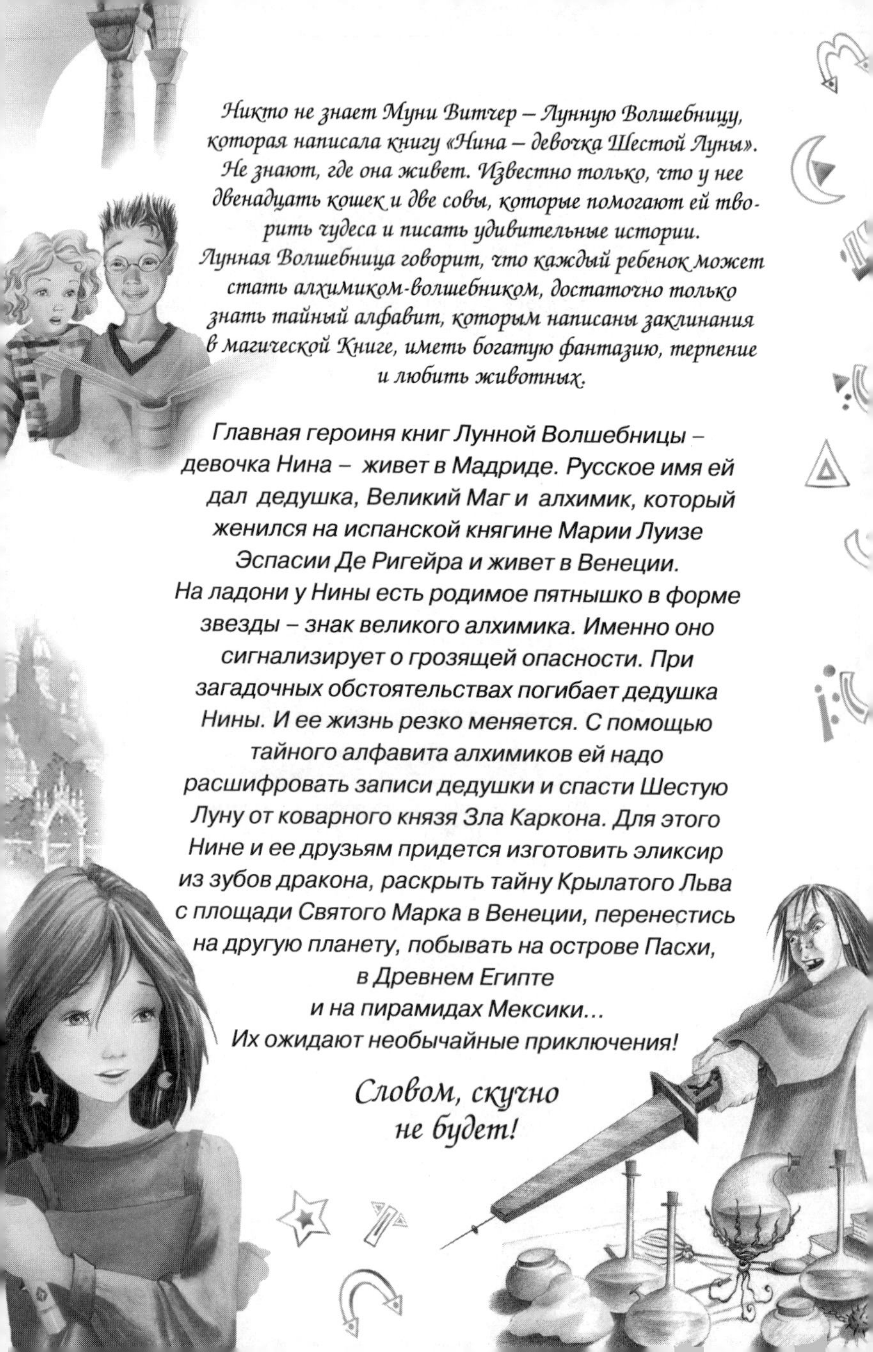

Никто не знает Муни Витчер – Лунную Волшебницу, которая написала книгу «Нина – девочка Шестой Луны». Не знают, где она живет. Известно только, что у нее двенадцать кошек и две совы, которые помогают ей творить чудеса и писать удивительные истории. Лунная Волшебница говорит, что каждый ребенок может стать алхимиком-волшебником, достаточно только знать тайный алфавит, которым написаны заклинания в магической Книге, иметь богатую фантазию, терпение и любить животных.

Главная героиня книг Лунной Волшебницы – девочка Нина – живет в Мадриде. Русское имя ей дал дедушка, Великий Маг и алхимик, который женился на испанской княгине Марии Луизе Эспасии Де Ригейра и живет в Венеции. На ладони у Нины есть родимое пятнышко в форме звезды – знак великого алхимика. Именно оно сигнализирует о грозящей опасности. При загадочных обстоятельствах погибает дедушка Нины. И ее жизнь резко меняется. С помощью тайного алфавита алхимиков ей надо расшифровать записи дедушки и спасти Шестую Луну от коварного князя Зла Каркона. Для этого Нине и ее друзьям придется изготовить эликсир из зубов дракона, раскрыть тайну Крылатого Льва с площади Святого Марка в Венеции, перенестись на другую планету, побывать на острове Пасхи, в Древнем Египте и на пирамидах Мексики... Их ожидают необычайные приключения!

Словом, скучно не будет!

ЧИТАЙТЕ!

«Нина – девочка Шестой Луны»

«Нина и загадка Восьмой Ноты»

«Нина и заклятье Пернатого Змея»

«Нина и Тайный глаз Атлантиды»

Эрик Л'Ом

КНИГА ЗВЁЗД

«Я создал мир, где я хотел бы жить среди компьютеров и волшебства, кинотеатров и болотистой местности, населенной корриганами и рыцарями в блестящих доспехах...»

Эрик Л'Ом родился в 1967 г. в Гренобле. Историк по образованию, путешественник – по призванию. Эрик Л'Ом принимал участие в экспедициях в Пакистан и Афганистан, Ливан, Марокко, на Филиппины, участвовал в поисках Снежного человека. И неудивительно, что это нашло отражение в его «Книге звезд». Основываясь на старинной французской (бретонской) легенде, согласно которой город Ис был поглощен потопом в наказание жителям за их гордыню, он создал свою собственную волшебную страну.

«Приключения в этих книгах цепляются за приключения, переплетающиеся детективные линии задают читателю увлекательные загадки. Даже опытному читателю фэнтези трудно предугадать развитие событий, поэтому чтение «Книги звезд» превращается местами в изысканную интеллектуальную игру...»

«Книжное обозрение»

Для заметок

ДЛЯ ЗАМЕТОК